COLLECTION FOLIO

Ernest Pépin

L'Homme-au-Bâton

Gallimard

Leabharlann James Hardiman
Ollscoil na Gaillimhe
206

Ernest Pépin est né en Guadeloupe. Après des études de lettres à Bordeaux, il a été professeur de français en Martinique et en Guadeloupe. Il est actuellement directeur adjoint du Cabinet du Conseil général de la Guadeloupe.

Il a reçu le prix Casa de Las Americas en 1990 pour son recueil de poèmes *Boucan de mots libres* et le prix des Caraïbes en 1994 pour *L'Homme-au-Bâton.*

Il est chevalier des Arts et des Lettres.

À mes parents qui m'ont donné
le conte.
À mes enfants, Aïda et Patrice,
pour qui j'ai raconté.
À Mary-Line, ma femme, qui
m'a donné le rêve.

E. P.

« Ce qui nous porte n'est pas la seule définition de nos identités, mais aussi leur relation à tout le possible... »

ÉDOUARD GLISSANT,
Poétique de la Relation

« Notre Histoire est une tresse d'histoires. »

JEAN BERNABÉ,
PATRICK CHAMOISEAU,
RAPHAËL CONFIANT,
Éloge de la créolité

« Tout le bonheur des hommes est dans l'imagination. »

LE MARQUIS DE SADE

La petite Lisa avait seize ans. Elle trottinait de la rue Vatable au lycée Carnot en éclaboussant au passage tous les habitants du quartier de la splendeur de ses formes ; surtout lorsqu'elle portait sa tenue préférée : un jean Wrangler et un corsage fleuri gonflé par deux pamplemousses dorés. Et tout le quartier s'extasiait devant la chabine[1] en prenant chacun la part de son corps que les yeux pouvaient prendre.

Mais il n'y avait pas que son corps ! Il y avait son allurance, la fleur de son sourire et toute la gaieté du monde qui pétillait dans ses yeux. Chaque matin, elle passait devant le salon de coiffure de Roro. Vieil homme d'une auguste bonhomie qui parlait comme rara de semaine sainte tout en agitant le cliquetis de ses ciseaux. « Elle a autant de tôle à vendre qu'une quincaillerie », confiait-il à ses clients en levant les

1. *Chabine* : Métisse blanc-nègre.

yeux au ciel et en poussant un grand soupir plein de nostalgie. Il le savait, sa belle époque était derrière lui. Autrefois... mais maintenant...

« Mais que font les jeunes du quartier ? Ils ne voient pas qu'elle est déjà en âge ! Le bien de Dieu ne doit pas se gaspiller comme ça ! »

À l'intérieur du salon où les cheveux volaient comme des copeaux, tout le monde approuvait. C'était le point de ralliement de quelques remarquables et zélés joueurs de dames, d'un gratteur de guitare qui rêvait de s'en aller faire carrière à Paris et d'un chanteur de charme borgne qui venait toujours comme il disait lui-même « jeter un œil ». Invariablement Roro lui répondait : « Mais tu as oublié l'autre ! » L'ambiance était chaude malgré le remue-ménage d'un ventilateur à bout de souffle.

Des « bonjour Lisa ! » fusaient de partout. De chez le garagiste où un jeune apprenti prenait la course chaque fois que Lisa passait. Il ne voulait pas qu'elle le voit comme ça, les mains dans le cambouis. Du bar de Mme Toto où les tafiateurs baignaient dans une odeur de punch au citron vert. De la boutique de Mme Vainqueur et du triporteur de Ban-mwen-lè[1], toujours pressé de livrer ses marchandises tout en sifflant les airs à la mode.

1. *Ban-mwen-lè* : Littéralement « donne-moi de l'air » autrement dit « laisse-moi passer ». Souvent, dans les rues encombrées, les conducteurs de triporteurs ou d'engins divers poussaient ce cri.

La rue Vatable avait recueilli dans un désordre jovial et besogneux de nombreuses cases de malheureux occupés à pratiquer toutes sortes de petits métiers.

Le vendeur de glace, la marchande de charbon, le ferreur de chiens et le repeigneur de ciel trouvaient là un lieu de choix pour tirer le diable par la queue.

Lisa aimait sa rue car elle était cocasse, haute en couleur, bruyante à souhait, pleine de blagues et de bagarres et inondée par l'odeur tenace de la vie, c'est-à-dire de l'amour à bon marché, des marinades et des vieux nègres. Des enfants à moitié nus courant après un cerceau ou une trottinette complétaient le décor.

Lisa aimait la vie même si, contrainte par l'autorité brutale de son père, elle s'appliquait à paraître sage et sans trop d'émotions.

Elle était difficile à aborder par les garçons car elle n'avait pas le droit de sortir, excepté pour se rendre au lycée, faire de menues courses ou aller à l'église. De temps à autre elle allait au marché.

D'ailleurs sa mère, grosse femme poussive mais d'une vigilance de cerbère, veillait au grain. Trop de jeunes filles des environs ballonnaient sans complexe et sans vergogne et restaient à la charge de leur famille.

Mme Denise s'était assigné une tâche sur terre, une seule : conduire Lisa, vierge et pure, sur les marches de l'église le jour de son mariage. Aussi, au moindre clin d'œil, à la moindre situation suspecte, elle lui administrait une volée, une fraîcheur, disait-elle.

Au lycée, le parrain de Lisa, professeur de lettres, un nègre à grand français, prolongeait la surveillance, alertant les parents au moindre faux pas, au moindre billet doux, à la moindre préférence supposée pour un camarade de classe. Lisa avec humour l'avait baptisé « le radar »...

Un jour, Lisa s'évanouit sur le trottoir défoncé de la rue Vatable, juste devant le salon de Roro. Un attroupement se forma aussitôt. Le marchand de jus de cannes commentait la scène : « J'étais là, à la regarder passer en me disant que Bon Dieu, mi bel bitin, quel beau butin de femme, lorsque je l'ai vue trébucher, vaciller et tomber-blip, d'un seul coup. »

Un bougre qui passait par là eut une idée géniale. Habillé d'un costume trois pièces, il en imposait. « Laissez passer le docteur Matachon ! » La foule s'écarta respectueusement devant le prestigieux personnage. Il palpa longuement la petite, laissant traîner ses mains sur les rondeurs. Il prenait tout son temps et enfin il s'écria : « Ce n'est rien ! Ce qui lui faut c'est de l'air ! Reculez-vous ! » Mais soudain un cyclone s'abattit sur le groupe. Mme Denise voltigea quelques voyeurs qui reluquaient en douce les fesses dodues de Lisa, bouscula le prétendu docteur et s'empara de sa fille avec l'aide de sa servante en injuriant tous les bons à rien qui n'avaient rien d'autre à faire que de fourrer leurs yeux dans les tréfonds des filles de bonne famille.

La maisonnée était en émoi. Le père suait à grosses gouttes tout en s'agitant inutilement pour se donner l'illusion d'être maître de la situation. Les petits braillaient croyant Lisa morte. La servante massait le corps de Lisa avec du rhum camphré. Mme Denise avait disparu. Elle était allée vitement chercher un médecin et elle avait eu beaucoup de mal pour en trouver un qui acceptât de venir à son domicile.

La servante du docteur Socrate vit surgir devant elle une masse de chair surexcitée qui n'avait même pas prêté garde aux aboiements coléreux d'un berger allemand. Heureusement qu'il n'était pas en liberté, pensa-t-elle. Puis, d'entrée de jeu, elle entreprit de traiter cette malélevée.

« Où est le docteur ?

— Il est chez M. Bonjour !

— Ah pardon madame, je suis dans un tel état... ma fille...

— Bonjour quand même ! On dit bonjour ! Padon pa ka guéri bos[1] !

— Ouais, c'est ça ! Bonjour, bonjour et bonjour ! Où est le docteur ?

— Et c'est pourquoi hon ?

— Comment c'est pourquoi ? Vous n'êtes pas docteur !

1. *Padon pa ka guéri bos* : Proverbe créole qui signifie que même si l'on présente ses excuses à celui à qui l'on a fait du tort le mal est déjà fait.

— Je ne suis pas docteur mais ici c'est moi qui commande. On n'est pas à l'hôpital ici ! Et le docteur ne reçoit pas n'importe qui chez lui...

— Gadé mwen madanm ! An ja ni asé kon sa asi kont an mwen ! Alos pa chofé san an mwen[1] ! »

La servante allait tourner les talons quand le docteur fit son apparition.

« Ah docteur ! Jésus la Vierge Marie ! Ma fille ! Ma fille est à l'agonie ! Il faut venir vite, vite !

— Du calme, madame ! »

Devant l'expression douloureuse de Mme Denise, le docteur consentit à venir.

« Allez toujours, j'arrive... »

Lorsque le docteur débarqua, il trouva une maison éplorée. Il fit sortir tout le monde de la chambre afin d'examiner Lisa en toute tranquillité.

Un bon quart d'heure s'écoula pendant lequel Mme Denise s'agrippa à un chapelet et usa une croix avec force baisers. Elle se rua vers le docteur dès qu'il quitta la chambre.

« Alors, docteur, qu'est-ce que ma fille a ? »

Le médecin leva les yeux au ciel et poussa un grand soupir. Comment annoncer à une furie pareille que sa fille était enceinte ?

1. *Gadé mwen madanm ! an ja ni asé kon sa asi kont an mwen ! Alos pa chofé san an mwen !* : Regardez-moi (bien) madame ! J'en ai déjà suffisamment pour mon compte ! Alors ne m'échauffez pas le sang !

« Elle va mieux, je lui ai fait deux piqûres, elle se repose maintenant.

— Oui, mais que lui est-il arrivé ?

— C'est-à-dire qu'il me faudra la revoir pour être sûr de mon diagnostic. Elle n'a pas de petit ami ?

— Ah doktè ou vlé tyouyé mwen[1] ! Petit ami ? Avec moi il n'y a pas de petit ami.

— Pourtant madame, elle présente tous les symptômes d'une grossesse...

— Lisa ! mais ce n'est pas possible ! Enceinte ! »

Mme Denise ouvrait ses cocos-yeux et s'étranglait en répétant ce maudit mot. Lorsqu'elle retrouva un peu d'air, elle poussa un hurlement strident, inhumain. Ouayayaye !

Le père de Lisa accourut. Qu'est-ce qui se passait encore ?

Le médecin réalisa que c'était une famille très nerveuse et il voulut atténuer le choc. Il était un peu tôt pour avoir des certitudes mais enfin on pouvait supposer que... d'après les apparences...

Mme Denise reprit ses hurlements, son mari se contenta de murmurer : « J'ai toujours pensé que c'était une petite dévergondée. »

Mme Denise le fusilla du regard mais il lui fallait s'occuper du médecin.

En femme bien élevée, malgré sa douleur et

1. *Doktè ou vlé tyouyé mwen !* : Comment docteur, cherchez-vous à provoquer ma mort ? Autrement dit : « Ce que vous insinuez est insupportable ! »

sa honte, elle lui présenta de l'eau pour se laver les mains, une serviette brodée pour les essuyer, ensuite elle lui offrit un jus frais et elle trouva même la force de plaisanter avec amertume. « Ce qu'on ne veut pas voir devant sa porte on le retrouve dans son salon ! » Le médecin profita d'un semblant de calme pour s'éclipser.

Il eut à disperser sur le trottoir la meute des commères et des compères, friands des soubresauts qui agitaient les vies familiales. Elle venait assister au spectacle de Mme Turbis recevant sa correction hebdomadaire. Ce qui ne l'empêchait nullement de quitter les rails de la fidélité. Un autre jour c'était Mme Glandor qui refusait d'ouvrir la porte à son mari plein à ras bord. Parfois c'était deux mères qui réglaient à coups de seaux la bagarre de leurs fils.

Ainsi allait la vie comme un galop de cheval à trois pattes et toujours il manquait la quatrième. Son absence cruelle, les malheurs qui en résultaient créaient le spectacle quotidien. La meute ne perdait jamais un os. Elle s'acharnait et elle se désagrégeait par petites bandes qui s'en allaient répandre le fait divers du jour. Comment Lisa, si disciplinée, si étroitement surveillée, pouvait-elle tomber enceinte ?

C'était la question qui cassait toutes les têtes et en premier celle de Mme Denise. Ne voulant pas ajouter une miette de plus à la joie du voisinage — messieurs et dames, quelle honte ! — elle adopta un profil bas, ferma les persiennes et résolut de feindre le calme.

Médélis, sa voisine, prétexta un besoin urgent de piments rouges pour venir aux nouvelles. Mme Denise parla de tout sauf de Lisa et ajouta deux citrons verts au lot de piments tout en dirigeant sa chère commère vers la sortie.

Pendant deux jours, Lisa ne quitta pas sa chambre et sa mère l'entourait avec affection. Elle lui prodiguait un paquet de soins et lui infligeait force rimed-razié. Et plus elle était prévenante, plus Lisa redoutait le choc à venir.

Le troisième jour, elle attaqua : « Dis-moi mamzelle Lisa, qui t'a fait ça ? » Lisa ne dit mot et son visage se transforma en cascade de larmes.

« Ah non ! Il faut me donner le nom de ce criminel pour que j'arrange ses affaires. Ah le scélérat ! » gémit-elle d'une voix fêlée par la rage.

La petite résista une semaine durant. L'affaire était d'autant plus incompréhensible que Mme Denise remettait elle-même, en mains propres, les « toiles » hygiéniques à Lisa qui devait les exposer, bien lavées, sur la véranda. Manière de dire au voisinage que dans cette maison on ne mène pas la vie.

Or Lisa avait toujours remis chaque mois des toiles bien rouges comme des explosions de flamboyants au mois de mai.

L'affaire était mêlée comme cendre et farine !

La petite craqua après quelques calottes bien appliquées par le père. D'entrée de jeu, il voulut signifier qu'il n'aurait pas pour la bobo[1] les atermoiements de la mère. Il était un homme, lui, et on allait voir qu'il n'était pas disposé à faire des jeux de macaques. D'ailleurs deux dèyè do lan men[2] ponctuèrent sa détermination.

Ce qu'elle raconta était in-cro-yable !

Elle accusa l'Homme-au-Bâton ! L'homme-au-quoi ? s'étrangla l'inquisiteur.

Il utilisa toutes les punitions connues... Lisa fut mise à genoux sur deux râpes à manioc avec une pierre dans chaque main. Ensuite on l'obligea à avaler quatre bonnes cassaves bien trempées dans de l'eau salée, enfin on termina par la traditionnelle fraîcheur au bois de goyave. Rien n'y faisait. Lisa s'accrochait à la version de l'Homme-au-Bâton.

1. *Bobo* : Putain.
2. *Dèyè do lan men* : Gifle donnée avec le revers de la main.

« Tout s'était passé comme dans un mauvais rêve. Ce soir-là, un orage secouait la ville et je pensais mélancoliquement à ces débordements d'eau qu'il faudrait traverser le lendemain pour rejoindre le lycée. Les caniveaux de la rue Vatable, grouillant de golomines, se gonflaient comme d'énormes mamelles noires à la moindre pluie et transformaient le quartier en cité lacustre. Je venais de me mettre au lit après une bonne toilette. J'avais encore la sensation du savon glissant sur ma peau. Je venais de me mettre au lit et les draps baignaient mon corps nu d'une tiédeur voluptueuse. Je sentais couler mon sang dans mes veines. Des bouffées de désir s'élevaient de moi comme des ballons multicolores. Je serrais les cuisses pour contenir, au plus profond de moi, les vagues d'excitation qui me prenaient d'assaut. Soudain la fenêtre donnant sur la rue avait claqué. J'avais d'abord pensé que c'était le vent mais le bruit s'était répété et s'était transformé. On eût dit un raclement d'ailes de chauves-souris emprisonnées sous les toits. Quelqu'un, sans doute agrippé à la gouttière, essayait de pénétrer.

«Je fermai les yeux, incapable de pousser le moindre cri. Soudain je le vis... C'était un homme noir, au crâne rasé. Son fada brillait, ses yeux aussi. Son regard m'hypnotisait. Vêtu d'une gandoura noire, il avait les mains ornées de grosses bagues en or et il tenait une canne en ivoire cerclée d'or. Plus il avançait, plus je me recroquevillais et plus je sentais mon sexe se lubrifier.

«Il s'allongea à côté de moi et commença à me caresser avec une infinie tendresse. Sa voix m'envoûtait mais je ne comprenais rien à ce qu'il disait. J'entendais battre mon cœur à une cadence nouvelle pour moi et sans même m'en rendre compte, j'écartais les cuisses. Alors il se leva et debout à côté du lit, il enfonça doucement sa canne dans ma volupté. Je ne ressentis aucune douleur, au contraire.

«En dépit du sang qui teintait les draps, je n'éprouvais aucune peur car un plaisir neuf roulait dans ma chair. Les cuisses tremblantes, le corps irradié par le tumulte de ma fleur, je regardais le va-et-vient de la canne et chaque pénétration augmentait mon impatience. Quelque chose devait se passer. Quelque chose que je ne connaissais pas. Et la chose arriva, soudaine, violente comme un cyclone de septembre.

«Mon ventre fut projeté vers un nid de

flammes, fulgurantes, pleines, impitoyables. Tout explosait tandis que l'homme souriait en montrant la barre de ses dents en or.

«J'étais un bûcher, bois et flammes confondus et mon cerveau n'arrivait pas à capter tous les messages qui montaient de ma fleur, de plus en plus vite. C'est à ce moment-là, seulement, qu'il me couvrit de son corps et qu'il y déposa sa semence. Tout se brouilla. Il s'évanouit comme une vision.

«Le lendemain, ma mère se troubla de constater que mes règles avaient de l'avance mais pour elle, cela valait mieux que l'absence de règles.

«Sept soirs, l'Homme-au-Bâton apparut et disparut en me laissant flotter sur la corde du vertige.

«Je n'en parlais à personne ne sachant si c'était rêve ou réalité. Je vivais "la chose" avec confiance et je ne m'affolai que lorsque mon sang mensuel eut d'autres rendez-vous. Je m'en ouvris à ma cousine qui me proposa un troc de toiles. Ainsi, je pus remettre à maman Denise des preuves écarlates qu'elle s'empressa de faire laver et d'étendre sur la véranda afin que nul n'ignore.»

Le récit de Lisa emplit son père de rage et il tomba sur elle comme un feu dans un champ de cannes. Mme Denise dut s'interposer pour éviter le pire. Elle s'en alla, en bonne chrétienne, consulter son quimboiseur qui après plusieurs séances, toutes aussi chères les unes que les autres, affirma solennellement que la petite n'avait pas menti.

Les dorlisses ayant plusieurs manières de se manifester, celui-là, plus audacieux que les autres, n'avait pas craint de se matérialiser parce qu'il voulait punir la mère à travers la fille. C'était sans doute un prétendant éconduit qui en était mort de chagrin.

Mme Denise se souvint de ces rêves étranges qui la torturaient depuis quelques mois. Elle comprit alors que Sosso était revenu sur terre...

C'est alors qu'elle entreprit, pour sauver l'honneur de Lisa, de répandre la vérité. Elle courut de maison en maison, de lolo en lolo et surtout elle confia aux marchandes le soin de divulguer la version du quimboiseur.

Personne ne sut pourquoi. Toute la ville s'empara de l'affaire et se mit à vivre au rythme de l'Homme-au-Bâton.

Dans le vacarme de la rue Frébault, entre les coups de marteau des ressemeleurs, les boniments des achalandeurs, les klaxons des voitures, les cris suppliants des marchandes, les pleurs d'enfants gâtés, les annonces des crieurs de journaux, les conversations d'amoureux sur le trottoir, on ne parlait que de l'Homme-au-Bâton.

Les histoires les plus variées couraient sur son compte.

C'était le fantôme d'un grand séancier qui s'était pendu l'année dernière en laissant une lettre dans laquelle il jurait de régler leur compte à toutes les femmes.

C'était un soucougnan dont une femme avait volé la peau, l'empêchant de retrouver sa forme humaine.

C'était un Dracula nègre.

C'était un nègre marron qui se cachait la journée dans les bois et qui sortait la nuit pour violer les vierges.

C'était un acrobate de cirque qui avait refusé de s'en aller avec sa troupe.

Évidemment son apparence donnait lieu à toute sorte de descriptions.

Pour les uns, c'était un nain bossu et contrefait doué d'une force herculéenne et pourvu d'un sexe tellement énorme qu'il ressemblait à un manche de pilon.

Pour les autres c'était un unijambiste qui utilisait sa jambe de bois pour déchirer les femmes parce que son vrai joujou avait été coupé dans un accident.

Certains affirmaient sur la tête de leur mère qu'il se métamorphosait en homme-chien. D'autres encore prétendaient qu'il n'avait pas de corps mais seulement un sexe lumineux qui clignotait avant de défoufouner ses victimes.

De Castel, crieur d'*Antilles-Matin,* affirmait que toute la vérité était dans son journal. Cependant les nombreux lecteurs furent déçus par l'article consacré à l'Homme-au-Bâton.

MYSTÈRE, BLUFF OU QUIMBOIS?

Une jeune fille de bonne famille a fait une inquiétante révélation. Elle aurait été violée par un être mystérieux avant de se retrouver enceinte.

Personne, ni dans sa famille, ni dans son voisinage, ni dans son école ne lui connaissait la moindre aventure.

Le mystère est total! S'agit-il d'un bluff ou d'une affaire de quimbois? Le père Blanc, sollicité par la famille, a accepté de procéder à un rituel de désenvoûtement et la police poursuit son enquête. Une seule certitude : la belle est enceinte...

Après force détails sur la vie de la victime, dont le nom ne saurait être révélé mais que tous les détails désignaient clairement, la rédaction s'associait à la douleur des parents et partageait l'émoi de la population. Elle promettait de revenir sur l'affaire dans les numéros suivants.

On venait de lancer *Antilles-Matin.* Cela ne pouvait mieux tomber. C'était une aubaine, le journal se vendait comme des petits pains et chaque jour il accommodait l'Homme-au-Bâton à une sauce différente. *Le Nouvelliste,* plus rationnel, parla d'exploitation de la crédulité populaire, tandis que *Clartés,* journal de l'évêché, invitait les fidèles à redoubler de foi et, suggérait-il, l'Homme-au-Bâton était certainement un communiste.

Le petit peuple de la rue Vatable prit des précautions et changea d'habitudes.

La rue Vatable, le soir, était un bankoulélé de vitalité : les enfants se regroupaient autour des lampadaires pour apprendre leurs leçons. Des jeunes s'asseyaient sur les marches de leur maison pour jouer à pichine avec de minuscules galets. Des parties de billes mangeaient les boutons des perdants. Parfois les filles profitaient d'un beau clair de lune pour sortir les cahiers de chants et des airs de Tino Rossi ou de La Viny se mêlaient aux odeurs de poissons frits. Des parties de dominos faisaient trembler des tables de fortune. Quelques bobos indiquaient de façon provocante qu'elles avaient du bonheur à vendre.

C'était cela la rue Vatable ! Mais maintenant, dès six heures du soir, la rue prenait l'allure d'un cimetière dérangé par quelques flaques de lumière. Les grosses portes se fermaient et, non contentes d'avoir renforcé les systèmes de fermeture, les mères mettaient derrière les portes et les fenêtres toute sorte d'objets bruyants de nature à trahir la présence d'un intrus. Les recettes étaient variées. Cela allait de la clochette à la rangée de bouteilles en passant par les casseroles. Bien sûr, on se « protégeait » avec crapauds crucifiés, prière à sainte Bouleverse, chapelets bénits et autres talismans.

Les rares passants n'entendaient que le bruit de leurs pas amplifié par le silence et les battements de leur cœur angoissé.

Cependant le malheur des uns fait le bonheur des autres et de nombreux commerçants vécurent des heures fastes et lucratives. Toute l'économie de la peur fonctionna à merveille. Les serruriers, les ferronniers n'arrivaient pas à satisfaire à la demande. Le prix des culottes noires, seule parade connue contre les dorlisses, grimpa de façon éhontée. Les Syriens de la rue Frébault se frottaient les mains. Les chapelets, les croix, les quarante-quatre prières filaient en un clin d'œil. Les gadèzafè faisaient fortune en proposant des protections variées à base d'hosties ou de calcium. Les cérémonies hindoues décuplèrent et des milliers de cabris furent sacrifiés. La peur était partout, de jour comme de nuit, et le vent lui-même soufflait lugubrement sur les arbres désolés.

La rue Vatable était triste comme un jour sans pain et sa tristesse, peu à peu, se répandit sur toute la ville et sur toute la Guadeloupe. Les mares se suicidaient, les vaches avaient des réactions de possédées, des transports en commun prenaient feu sans raison et c'est peut-être à cette époque que les moineaux désertèrent nos bois.

Un matin, le pays se réveilla en grand émoi. On avait trouvé sur trois plages des cadavres de femmes. Elles portaient toutes les trois la même robe rouge, les mêmes escarpins rouges et le même sac rouge contenant la même somme d'argent. Elles étaient parées et maquillées comme des dames conviées à une grande sortie. L'inspecteur de police s'était rendu sur les lieux et il n'avait pu déceler le moindre indice. Rien, pas la plus petite piste.

Manifestement, elles avaient subi des sévices sexuels car elles avaient toutes les trois les jambes écartées et au beau milieu de leur corps un bout de bois ensanglanté qui narguait les enquêteurs.

L'autopsie révéla qu'elles étaient mortes à la même heure et de la même façon : hémorragie consécutive à la perforation de leurs organes génitaux. Pourtant, ce qui intriguait le plus, c'était le sourire d'extase qui baignait encore leurs lèvres.

Que s'était-il donc passé ?

Assurément l'Homme-au-Bâton était passé par là ! Il pouvait donc intervenir en trois lieux différents au même moment? Nous avions affaire à forte partie. Ah, messieurs et dames, la panique, oui la panique, nous cassa les bras.

Nous avançâmes sans trop y croire de nombreuses hypothèses, juste pour nous rassurer. *Antilles-Matin* lança son grand concours du lecteur détective et de fabuleuses histoires sortirent de la plume de notre écrivain national. Mais nous n'aimions pas l'écrit. L'écrit demeurait affaire de loi, d'église et d'école. Nous préférions le bouche-à-oreille, la radio bois-patate et les grandes palabres sur la place de la Victoire. Le ti-banc du conteur nous asseyait sur le dos du songe et nous naviguions dans la parole, marins perdus cherchant la formule magique du salut.

L'inspecteur Rigobert tournait et retournait les pages chiffonnées de son journal sans trouver une clé qui lui permît d'ouvrir la porte de l'énigme. C'était pourtant lui qui avait capturé la Panthère Noire en déduisant que ce meurtrier portait ses chaussures à l'envers pour brouiller les pistes. Sa perspicacité et son courage avaient fait merveille contre Bec-en-Or. Il se devait d'éclaircir le mystère de l'Homme-au-Bâton. Certes l'affaire était pimentée et les rapports contradictoires, les témoignages farfelus compliquaient encore la situation. Le sentiment d'impuissance mettait Rigobert de très mauvaise humeur et le poussait à se venger sur les petits délinquants des bas quartiers de la ville, le pont Ti-Caca, le Carénage, ou Dallas. Depuis des jours et des jours, il rôdait un peu partout, à la recherche d'un élément, d'une idée. Un soir, alors qu'il effectuait la tournée des bastringues il eut une illumination. Ah oui! c'est ça! Il allait servir d'appât à l'Homme-au-Bâton en se déguisant en femme...

Oui mais comment ressembler à une femme ?

Il faut savoir que Rigobert, grand d'un bon mètre quatre-vingt-dix, n'adorait rien de moins qu'un bon fouyapen-queue-à-cochon[1]. Les dombrés[2], les viveneaux en court-bouillon le mettaient en extase. En outre, il avait un faible pour les ti-punchs qui ouvraient l'appétit, favorisaient les contacts avec les indicateurs, diluaient les énigmes. Plus d'un demi-siècle de bonne chère avait totalement déformé son corps qui depuis des lustres était à la remorque de son ventre.

Rigobert était têtu et volontaire. L'Homme-au-Bâton défiait la police, il fallait riposter. Il devenait urgent et nécessaire de maigrir... Rigobert, après avoir consulté sa vieille mère, prit le parti de se purger. Il s'enferma dans sa villa et avala force pilules Dupuy accompagnées de nauséabondes gorgées d'huile de ricin.

Son corps se vida et il connut successivement l'opéra de Paris, les grandes eaux de Versailles et pour finir les chutes du Niagara. Des jours durant, les yeux rouges et larmoyants, la tête en feu et les intestins traversés par des éclairs, Rigobert endura dans une odeur pestilentielle.

1. *Fouyapen-queue-à-cochon* : Plat antillais composé de fruit-à-pain et de queue de porc salé. Autrefois c'était le plat du pauvre même si aujourd'hui un snobisme en fait un plat très apprécié de tous. Il ne figure malheureusement pas sur la carte des restaurants-pour-touristes.

2. *Dombrés* : Boulette de farine cuite à l'eau. Se mange aujourd'hui fourrée aux écrevisses !

Sans mentir, le miroir confirma qu'il avait choisi la bonne solution. Un peu brutale mais efficace. Après de bonnes semaines de repos, car son organisme s'était affaibli, il commença son entraînement.

Les anciens de la salle Nubret eurent le plaisir de constater le retour du grand Rigobert. Toute une tranche de son passé lui revenait. Il avait été autrefois gardien de la sélection de la Guadeloupe et ses nombreux exploits de l'époque attiraient les admiratrices comme des mouches. De temps en temps, il regardait avec nostalgie de vieilles coupures de presse où l'on parlait de ses « bonds de jaguar ». Il avait gardé l'habitude de fréquenter assidûment les stades et de parier sur les équipes.

Tous les supporters connaissaient sa lourde masse. Un imper gris à la main, un cornet de pistaches dans l'autre, avec une tension des maxillaires, il vivait son match en soupirant contre l'inefficacité des jeunots, tendres comme cannes, que la guerre n'avait pas endurcis.

La confrérie des supporters eut la surprise de constater qu'il avait retrouvé sa silhouette d'autrefois.

Certains allèrent jusqu'à chuchoter qu'il était rongé par un cancer. Rigobert n'en avait cure. Il protégeait son secret et tout cela glissait sur la fermeté de son indifférence. Il reprit son entraînement de karaté et, ma foi, il avait de beaux restes. Deux ou trois purges supplémentaires suivies d'un régime approprié, au grand désespoir de sa vieille mère, achevèrent de lui restituer son corps d'autrefois.

Un obstacle avait été franchi, restait l'autre. Il ne suffisait pas de se déguiser en femme, il fallait aussi en acquérir les manières, les tics, les mimiques et l'intonation.

C'est à ce moment-là qu'il songea à Vovonne.

Vovonne était une célébrité locale « internationalement connue en Guadeloupe », comme elle le disait elle-même.

Pas de processions religieuses, pas de défilés de cuisinières, pas de bal titane, pas de carnaval sans Vovonne.

Selon les circonstances, elle pouvait arborer une magnifique tenue créole avec tête calendée. Bijoux, pomme-cannelle, collier-chou, bracelet à maille-concombre, grains d'or étincelaient sur ses étoffes. À pic sur des talons aiguilles elle se déhanchait de façon excentrique.

Ouaye ma chè ! Elle avait la voix haut perchée et jacassait sans arrêt, s'étourdissant de ces « ouaye ma chè ! » qu'elle lançait en minaudant et en battant des faux cils à la moindre allusion coquine. Vovonne était une femme à chaleurs, pleine de grivoiseries et de reparties canailles. Aussi se plaisait-on à la taquiner pour profiter de ses belles « de volée », de ses beaux revers de langue. Ma chè, an vini chofé bitin la[1] !

Et c'est vrai, Vovonne mettait de l'ambiance, apportait une note de cocasserie, faisant toujours plus que n'importe quelle femme car Vovonne était un homme : notre macoumè[2] national et officiel !

Elle était belle à voir, en grande robe du soir lamée, serrée dans un fourreau, aguicheuse à souhait avec son éventail et ses boucles d'oreilles en diamant assorties à sa broche. Vovonne n'avait pas l'élégance discrète et chacune de ses sorties mettait toute la ville en joie. Sacrée Vovonne !

Tout le monde se souvenait encore de ce fameux bal, au cours duquel un préfet, récemment débarqué de son Constellation, abusé par les apparences flatteuses de Vovonne, lui avait consacré non seulement de longues heures de conversation, mais encore de nombreuses danses. Les officiels, d'abord atterrés, choisirent, devant la délicatesse de la situation, de feindre d'ignorer la véritable identité de Vovonne qui se pâmait sous les « chère madame » et les « chère amie ». Ce soir-là, Vovonne fut la reine !

Personne ne connut jamais la suite de l'histoire. Elle avait contribué à accroître le prestige de Vovonne et elle était entrée dans le folklore

1. *Ma chè, an vini chofé bitin la !* : Ma chère, je suis venue pour chauffer l'ambiance (pour me défouler).
2. *Macoumè* : Littéralement « ma commère ». Homosexuel.

local sous la forme d'une chanson de carnaval fort populaire. Vovonne appartenait au patrimoine comme la place de la Victoire ou le monument aux morts. Elle était plus connue même que la stèle érigée en hommage à Delgrès.

Rigobert, après avoir pris de multiples précautions pour se protéger des malparlants, se rendit un soir chez Vovonne au fond d'une cour du côté de Morne Naumale. « Comment, inspecteur c'est toi ? » susurra Vovonne. Elle s'était toujours refusée à vouvoyer quiconque et sa voix avait toujours la chaleur d'une turbine.

« Quel plaisir ! Quel bon vent arrière a poussé ta voile jusqu'ici ? Une peine de cœur ? »

Cette entrée en matière agaça Rigobert qui gonfla sa voix pour remettre Vovonne à sa place.

« Vovonne, j'ai deux melons solidement plantés et je ne suis pas prêt de me faire châtrer... Arrête tes couillonnades ! J'ai besoin de toi pour autre chose. »

« Il est fâché le pauvre chou ! » minauda Vovonne avec un battement des faux cils. Elle croisa ses cuisses moulées dans un short très sexy, soupira, attrapa son fume-cigarette, alluma une Craven, regarda la fumée avec une expression de volupté et changea brusquement de voix.

« Et qu'est-ce que je peux faire pour toi, monsieur l'inspecteur, si tu viens me voir c'est que c'est spécial ! »

En entendant la voix de baryton qui sortait

du corps si féminin de Vovonne, Rigobert sursauta d'abord, demeura pétrifié ensuite, puis éclata de rire. Tous les deux furent secoués par une de ces mémorables crises de fou rire qui vous jettent les larmes aux yeux, écorchent votre gorge d'une toux têtue et crispent jusqu'à douleur les muscles de votre ventre.

Vovonne elle-même voltigeait ses bras au ciel, ouvrait ses jambes et se tenait les faux seins tout en se chavirant pour rire à son aise. Elle riait tantôt comme un homme, tantôt comme une femme, ce qui relançait le fou rire de Rigobert.

Une fois la crise passée, Rigobert expliqua son plan à Vovonne qui promit par solidarité avec les femmes de coopérer. Puis elle sortit le champagne. Rien à dire, Vovonne était une parfaite maîtresse de maison et Rigobert s'était laissé tenter par un repas. Quel repas ! Brochettes de langoustes sur lit de cresson frais arrosées d'une sauce-chien. Tartelettes aux oursins. Un feuilleté aux écrevisses suivi d'un blanc-manger et pour finir une omelette norvégienne. Le tout rafraîchi par du dom pérignon. Si bien qu'en sortant de là, nostrom flottait un peu dans la douceur de la nuit.

En ces jours de peur, les nuits étaient calmes et tranquilles et nul n'osait s'aventurer plus loin que les rares zones bien éclairées. Les chiens prenaient possession des rues et se livraient à une fouille désordonnée des poubelles. On les voyait courir en meutes excitées derrière d'altières femelles. Les mâles se déchiraient, se blessaient dans de féroces bagarres avant de s'abandonner à de frénétiques orgies interrompues par des coups de feu ou des jets de pierres. Quelques nuages tamisaient l'air et, de temps à autre, des rafales de vent torturaient les arbres. Parfois un coq déréglé crevait le silence de manière incongrue et des odeurs rances montaient des mangroves avoisinantes. Tout semblait humide, lourd et plein d'angoisse.

Rigobert roulait comme un somnambule lorsqu'il entendit un ouélélé qui venait de la rue Vatable. Intrigué, il accéléra et découvrit un spectacle qui, dans la pénombre trouée d'auréoles blafardes, le laissa sans souffle.

On voyait d'abord le père Blanc glissant sur l'asphalte comme un Christ sur les eaux. Il chantait d'une voix forte une prière étrange tandis que sa touffe de cheveux blancs brillait à la manière d'une sainte auréole.

Avec gravité, avec solennité, il bénissait de temps à autre une des cases lépreuses et moisies de la rue Vatable. Bien qu'on fût en pleine nuit, il marchait sous un dais porté par quatre acolytes raidis par l'émotion.

Derrière lui venait le chœur regroupant tous les ravets d'église, tous les genoux blanchis quotidiennement par des prières et toutes les jupes confites dans le repentir ou croupies dans des chastetés qui n'en pouvaient mais... Leurs voix montaient d'un nuage d'étoffes blanches et flottaient par-dessus les têtes en compagnie des moustiques. De-ci, de-là, quelques trémolos se singularisaient et à l'unisson des voix désaccordées s'agglutinaient en une coulée insolite et gémissante. Il y avait cependant de la vigueur dans les implorations et dans les appels. Seigneur ! Seigneur ! Délivre-nous du mal ! Ensuite s'allongeait la longue queue du cortège d'où émergeait le clair-obscur des visages rendus plus expressifs par la lueur des chaltounés et des cierges. Enfin, par petits paquets, des nègres à rhum, des manawas convaincus du poids de leurs péchés simulaient une piété de circonstance. Ils aimaient les mouvements de foule et tout cela, pour eux, n'était qu'une sorte de carnaval avec du latin en plus.

Rigobert ne put retenir un grand éclat de rire. Si c'est comme ça qu'ils espéraient arrêter l'Homme-au-Bâton ! Pourtant son rire l'embarrassait. Cette armée affolée, superstitieuse, c'était aussi une part de lui-même.

Des souvenirs d'enfant lui revenaient. Ils les croyaient morts mais ils revenaient comme ces cadavres que la mer ramène. Il se revoyait dans son rôle d'acolyte assailli et grisé par des odeurs d'hosties, d'encens, d'eau bénite, d'argenterie et de cierges, vivant le temps sacré de la messe dans l'extase de servir Dieu et se retrouvant après dans la fraîcheur du presbytère pour croquer, avec les autres, du chocolat et déguster des boissons venues de la Bretagne natale du curé. Il retrouvait les images d'un maliémin, des odeurs de sang de cabri et de colombo et des visages d'Indiennes si belles et si gracieuses. Il repensait à Grands-Ongles le quimboiseur, terreur de son enfance...

La procession serpentait, lourde d'espérances diverses et malgré son incongruité elle l'obligeait à sortir de lui-même pour toucher les étoiles. Il descendit de la voiture et s'abîma dans une méditation presque douloureuse.

Toutes ces souffrances, toutes ces croyances pour un débattre qu'on appelait la vie... Une vie de nègres et de négresses sur laquelle pesaient l'ombre de l'esclavage, le poids des coups de fouet, le déchirement des cris et des malédictions, la peur sournoise qui de temps en temps trouait les carcasses les plus endurcies. Entre quimboiseurs et curés la vie cherchait obstinément la preuve d'une justice et la paix d'un réconfort.

Alors Rigobert se mit à chanter une sorte de kaladja.

> An mwé, an mwé !
> L'Homme-au-Bâton rivé !
> An mwé, an mwé !
> L'Homme-au-Bâton ké pati[1] !

Sa détermination grandissait et dans la nuit poisseuse et chaude il signait un pacte avec la

1. Au secours, au secours (à moi) !
L'Homme-au-Bâton est arrivé !
Au secours, au secours !
L'Homme-au-Bâton s'en ira !

procession. Je vaincrai l'Homme-au-Bâton, se jura-t-il tandis que la croix se perdait sous la voûte qui menait au carénage.

Maintenant chaque soir Rigobert se rendait chez Vovonne pour s'initier aux mille et une petites choses qui font la vérité des femmes.

Vovonne s'installait dans une berceuse et guidait Rigobert comme l'aurait fait un metteur en scène. Ce soir-là, le cours portait sur l'art de tenir debout sur des talons aiguilles. Rigobert se comportait en élève docile et appliqué. Pour qu'il fût conscient du mouvement de ses jambes, Vovonne l'avait invité à retrousser son pantalon. On pouvait donc voir des mollets de footballeur, d'épaisses chevilles prolongées par des pieds de catcheur déformer des escarpins vernis. Rigobert tanguait comme un homme saoul. Perdu sur ses « échasses », il tentait de s'équilibrer à l'aide de contorsions saccadées et il utilisait ses longs bras en guise de balancier. Un vrai mokodjombi !

Vovonne ôtait son fume-cigarette pour crier d'une voix haut perchée : « Mais non, mais non ! Du naturel ! de la classe ! La femme c'est la création faite grâce ! Tu ressembles à un gorille ! »

Rigobert s'appliquait et plus il s'appliquait, plus il devenait maladroit et plus il transpirait.

« Tu n'es pas sur des patins à roulettes ! » s'esclaffait Vovonne. Brusquement un talon aiguille céda sous son poids et il s'étala de tout son long aux pieds de Vovonne qui plongea dans un fou rire.

« J'en ai marre ! An boufi avè sa[1] !

— Allons, du cran monsieur l'inspecteur, après tout il y a des millions de femmes qui font ça tous les jours et je ne parle pas des accouchements ! »

Vovonne déposa son fume-cigarette, prit tout son temps pour enfiler des escarpins rose bonbon et commença à faire une démonstration.

« Tu vois mon chou, il faut être aérien. Il faut être à l'aise. Naturel, décidé. Vois-tu être femme ou homme, c'est dans la tête que cela se passe. »

Et à vrai dire, Rigobert ne pouvait qu'admirer Vovonne qui arpentait le salon en mannequin parfait. Et Vovonne en rajoutait car elle se sentait utile à quelque chose.

1. *An boufi avè sa !* : J'en ai assez de cela !

À l'angle des rues Vatable et Alexandre-Isaac, une misérable case rescapée de bien des cyclones abritait la détresse de Man Tata. C'était un amas de tôles rouillées, de planches noires et pourries mal assemblées, laissant voir au travers des jointures les fragments d'un décor insolite.

Man Tata et sa case ne formaient qu'une seule âme, qu'un seul corps. Toutes les deux avaient erré en vain d'un bout à l'autre de la Guadeloupe au gré d'aventures sentimentales toujours pleines d'espérance et toujours vaincues par le rhum, les grains de dés, les concubines et les combats de coqs. Toutes les deux avaient échoué là comme un vieux navire rouillé, coincé dans les eaux noires d'un port aux allures de cimetière où l'on enterrait toutes les douleurs. La même détresse les habitait, le même mouvement branlant et incertain les agitait, le même dénuement baroque faisait leur originalité.

Cette case abritait à la fois un lolo poussiéreux, encombré de marchandises jaunies et flétries par le soleil et les attentes trop longues et une salle à manger-salon où végétaient les squelettes de quatre méchantes chaises et d'une dodine à l'armature forcée.

Derrière tout cela, séparé par un paravent bricolé par un menuisier du coin, une pièce surajoutée, pleine d'odeurs et de souvenirs où se côtoyaient pêle-mêle les bondieuseries, les bricoles, les rêves brisés d'une vie cahotante et un lit toujours recouvert à la perfection par un édredon rouge : la chambre de Man Tata.

Confite, pleine de secrets inavouables, inavoués qui flottaient à travers le halo d'ombres et qui pesaient encore sur la carcasse de Man Tata.

Elle se traînait d'un espace à l'autre, vieille tortue recuite par les ans, happant avec sa langue ou avec ses oreilles les bribes d'un délire auquel personne ne croyait plus.

Man Tata était le recours des mères angoissées par un repas à cuisiner aux approches du retour toujours hypothétique de leur homme.

Elle était aussi la providence de qui cherchait un ruban passé de mode, des boutons ou une bobine de fil.

Elle était enfin la solution toute trouvée pour l'acquisition de mille petits colifichets qui meublent les petites existences et leur donnent parfois un air de fête ou de solennité. Des bas noirs pour un enterrement, un chapeau pour une première communion, une bouteille d'eau de Cologne et souvent un méné-vini ou un talisman.

Si bien que malgré sa lenteur, Man Tata était fort active. Et lorsque l'après-midi cassait ses ailes de pacotilleuse, elle s'asseyait sur le pas de sa porte et regardait, avec ses yeux abîmés, passer la vie. Elle éclatait de rire tout soudainement, commentait à haute voix quelque ancienne rancune, interpellait n'importe quel passant pour le prendre à témoin ou alors se prostrait dans un silence qui rendait plus lourds les destins entremêlés de la rue Vatable.

C'est ainsi qu'elle bouscula la torpeur de la rue et fracassa l'engourdissement des débuts de sieste en hurlant de toutes ses forces :

« Voilà l'Homme-au-Bâton ! Venez vite ! Au secours ! I ka pati[1] ! Il s'en va ! Vite ! »

Les joueurs de dominos, les femmes en culotte et soutien, les jeunes gens qui profitaient d'un relâchement de vigilance des parents pour s'essayer aux jeux de l'amour dans les arrière-cours et les recoins, les rares passants à la recherche d'on ne savait quelle aubaine se précipitèrent et encerclèrent Man Tata dans une cohue nerveuse, grouillante et gesticulante.

Comment ? Où as-tu vu l'Homme-au-Bâton ? Mais ce n'est pas possible ! Il ne sort pas le jour ! On m'avait dit que depuis quelque temps il sévissait du côté de Pointe-Noire... Eh bien,

1. *I ka pati !* : Il s'en va.

on peut dire qu'il aime la rue Vatable... Qu'est-ce que c'est que cette histoire d'Homme-au-Bâton ? Comment qu'est-ce que c'est ? Il suffit de regarder le ventre de Lisa pour se rendre compte qu'elle a été engrossée d'une façon tout à fait normale ! Eh oui, Lisa c'est la Vierge Marie alors ? Tchiiip ! Si c'était mon Aline tout le monde aurait trouvé ça normal, mais comme c'est mamzelle Lisa on invente des histoires d'Homme-au-Bâton ! Moi, je connais bien ce bâton-là ! Il y a en a des kilomètres qui se promènent le soir du côté du Bas-de-la-Source. Ah bon ! Qu'est-ce que tu faisais là, hon ?

Tout le monde parlait en même temps. Des querelles crevaient comme des bulles de savon et l'on était sur le point d'oublier le pourquoi de l'attroupement lorsque Man Tata prit à partie son public.

« Dans la quantité de personnes qu'il y a devant moi, pas une n'a l'idée de courir après lui, alors que je l'ai vu passer dans la rue Alexandre-Isaac. À l'heure qu'il est, il est déjà sur la place de la Victoire.

« Je l'ai vu comme je vous vois et il portait une grande robe noire, et il avait des souliers à clous qui faisaient plac, placatac ! plac, placatac ! On aurait cru entendre un cheval... Je suis restée saisie et je n'ai pas eu le temps de voir son visage. Mais je suis sûre et certaine qu'il avait un bâton à la main, un bâton de couleur argentée. »

Cela suffit pour transformer la bande en une

cavalcade hurlante d'où émergeaient des : « Barrez l'Homme-au-Bâton », « Nou kaye koupé boul aye[1] ! »

On partit dans tous les sens et certains prirent la précaution de se munir d'armes pleines de mauvaises intentions. Tandis qu'un ouélélé ameutait les rues adjacentes, Man Tata jugea utile de tomber-l'état après s'être écriée : « Et dire qu'il aurait pu me violer ! »

1. *Nou kaye koupé boul aye!*: Nous allons lui couper les couilles !

Pointe-à-Pitre n'était pas qu'une ville commerciale quadrillée par des rues perpendiculaires qui se croisaient à l'ombre des balcons en fer forgé. C'était le véritable poumon de la Guadeloupe. Que l'on prenne la darse par où arrivaient les Marie-Galantais sur un vieux rafiot connu de tous, la *Margie*, où débarquaient aussi de nombreuses marchandises venues de notre sainte mère Lafrance et où d'énormes paquebots comme le *Colombie* déversaient des touristes naïfs ou nous enlevaient un parent dans un vol mou de mouchoirs et une fifine de larmes provoquée par le barrissement lugubre du départ. Que l'on prenne la rue Frébault toujours agitée par des mamans encombrées de marmaille, harcelées par des Syriens couillonneurs et tournant folles devant les prix des tissus, des chaussures, des livres et des casseroles. Une armée de cloueurs ou de ferreurs de chaussures tapant du marteau à la sortie ou à l'entrée de chaque magasin tandis que la dernière biguine à la mode quittait l'étroite boîte à musique pour se répandre sur le trottoir.

Que l'on prenne le canal où s'alignaient dangereusement les transports en commun à carrosserie en bois. Que l'on prenne le quartier interlope de Darboussier chahuté par les locomotives, les manawas et les jeux clandestins. Que l'on prenne la place de la Victoire célèbre pour ses sabliers centenaires et ses bancs-à-feignants. Toujours Pointe-à-Pitre aspirait et expulsait une coulée de gens se démenant pour vendre ou pour acheter aidés en cela par une noria de triporteurs et de brouettiers qui assuraient le transport d'un point à un autre. On venait à Pointe-à-Pitre pour étudier dans le saint des saints, le lycée Carnot, pour se faire soigner à l'hôpital Saint-Jules, pour acheter des matériaux de construction sur les quais, pour vendre au marché central et pour mille et une raisons. Pourtant peu de gens étaient de Pointe-à-Pitre même et la plupart une fois les affaires faites n'avaient qu'une hâte : rejoindre au plus vite le domicile.

Mais il y avait les vrais pointois, les moune-lapointe[1] indécrottables et convaincus de leur supériorité sur les moune-communes[1].

Glissons sur les bourgeois de toute sorte, les gros messieurs à cravates et à bel français, docteur, professeur, architecte, entrepreneur, gros

1. *Moune-lapointe :* Les gens de Pointe-à-Pitre (qui se croient importants). *Moune-communes :* Les gens des communes (habituellement méprisés par les premiers).

commerçant. Eux-mêmes fuyaient volontiers la ville pour se retirer dans les hauteurs de la Lézarde en fin de semaine ou lors des vacances.

Ce sont des gens qui ont leur histoire mais leur histoire n'est qu'une pauvre histoire d'argent, de biens accumulés, de prétentions, de mépris et d'arrogance.

Laissons-les mariner dans le jus de leur médiocrité de zélés petits profiteurs d'une situation coloniale.

Glissons aussi sur nos petits instituteurs, nos petits propriétaires de boutiques, nos couturières, bref tous ceux qui ont déjà mis quelques pattes en dehors du baril de la misère. Glissons…

Et venons-en à nos tanbouyès[1], nos marchandes de sorbet-coco, nos dames à gros-pieds, nos bossus, et tous nos ingénieux faiseurs de rien-bon-à-tout-faire.

Parmi ceux-là, rendons hommage à Ti-Saint-Louis, à Sam Dopie et à Rosan.

Messieurs et dames, faites connaissance avec Ti-Saint-Louis et saluez-le chapeau bas. Oui, messieurs et dames, il le mérite !

Or Ti-Saint, ainsi nommé parce que fils de Saint-Louis, fils lui-même d'un père épris de justice et de miséricorde, naquit au Lamentin. Véritable prodige il était exhibé dans des classes supérieures à la sienne pour humilier les plus grands lorsqu'ils séchaient lamentablement sur une question.

1. *Tanbouyè* : Batteur (prodigieux !) de tambour-ka.

Cet enfant issu d'une famille qui ne possédait aucun livre pour la bonne raison que ni sa mère ni son père ne savaient lire passa haut la main certificat d'études, brevet élémentaire et brevet supérieur. À son époque cela relevait du miracle et il devint une véritable légende. Très rapidement il débuta comme instituteur, c'est-à-dire dans le langage de sa famille un « gros » fonctionnaire percevant un « gros » mandat. Il commença à enseigner mais c'était une forte tête, rebelle à toute hiérarchie et à toute discipline. Et puis surtout il trouvait la vie de « gros » fonctionnaire fade et sans attrait. Il n'y avait pas ce qu'il aimait le plus : la vie ! Ces heures répétitives durant lesquelles on répétait A, E, I, O, U et 2 et 2 font quatre étaient franchement monotones et puis il ne voulait ni ne pouvait ressembler à ses « collègues » d'un sérieux à congeler un four à pain. Non, ce qu'il aimait c'était l'ambiance de l'usine où de vrais hommes soulevaient des sacs de cinquante kilos, où de vraies femmes savaient remuer le désir à grands coups de reins. Un bon léwoz[1] avec des tambours au galop. Une bonne partie de dés et de bonnes rasades de rhum.

Bien vite il commença à sortir des sentiers trop droits de l'instituteur. Par exemple, il apprenait aux enfants de bons gros jurons. Il organisait des combats d'élèves à la sortie de

1. *Léwoz* : Grande fête avec tambours, chants et danses donnant lieu à de véritables compétitions.

l'école. Il s'amusait à passer derrière le tableau avec un bon litre de rhum en criant aux élèves : « Qu'est-ce que monsieur fait ? » Et les élèves répondaient en chœur : « Mon-sieur boit son rhum ! » D'autres fois il arrivait épuisé par les nuits blanches et ronflait sur le bureau. Malgré la grande affection que lui vouaient les élèves il fut mis à pied, puis il eut droit à un congé sans solde et pour finir il fut radié après avoir bastonné le directeur pour lui prouver que battre les élèves, han ! ce n'était pas, han ! la bonne méthode, han ! et que les coups, han ! ça n'avait rien de bon, han ! ni pour les élèves, han ! ni pour les directeurs, han !

Tout le monde le plaignit mais il reprit le chemin de l'usine où il se fit embaucher et retrouva sa joie de vivre comme il l'entendait avec rhum, grains de dés, léwoz, sauvé-vaillant[1] et tout le reste. Après avoir rossé un commerçant qui avait bousculé un unijambiste pour une caisse vide, il fut jeté en prison. À la sortie il s'installa à Pointe-à-Pitre.

Plus précisément il s'était mis en ménage, au fond d'une cour, avec une Dominicaine sans se montrer trop regardant sur sa vertu. L'eau sale des caniveaux lui avait donné un gros-pied mais il ne s'en souciait guère. Au contraire, c'était son arme secrète contre les mauvais sujets des tripots clandestins et des bordels

1. *Sauvé-vaillant* : Forme de lutte traditionnelle pratiquée lors des veillées mortuaires.

qui étaient sa vraie raison de vivre entre deux bagarres.

Mauvais larron au grand cœur il défendait la cause de la justice partout même s'il n'était pas concerné.

Messieurs et dames, respect pour Ti-Saint-Louis que venaient consulter en cachette de nombreux élèves mêlés avec un problème de mathématique ou de science physique.

Mais respect aussi pour Sam Dopie !

Messieurs et dames, si vous étiez nain, difforme et laid vous vous seriez suicidés. Sam Dopie lui décida de devenir une vedette.

Il lança son bout de corps dans la chanson et il eut son heure de gloire car beaucoup qui voulaient donner des sérénades n'avaient pas de voix. Sam Dopie fut la voix des amoureux, le Cyrano de Bergerac de Pointe-à-Pitre.

De Cyrano il avait le bagout et la morgue, de Pointe-à-Pitre il avait la débrouillardise. Il était un théâtre à lui seul aussi devint-il une vedette de la place de la Victoire...

N'allez pas croire que Sam Dopie inspirait une quelconque pitié. Non ! Il n'avait rien à faire de la pitié ! Il aimait la considération, le respect, l'admiration même, et il avait tout cela ! Son rêve c'était d'aller à Paris et, sur la place de la Victoire, il racontait Paris à qui voulait l'écouter. Messieurs et dames, personne n'a jamais su comment (car à cette époque-là Sam Dopie n'avait encore enjambé aucune eau salée), mais une chose est sûre et certaine, Sam

Dopie connaissait Paris comme sa poche. Il pouvait parler sans se tromper de la carte du métro, de tel bureau de poste qui se trouvait dans telle rue, du kiosque à journaux de telle rue. Il pouvait être d'une précision microscopique. Et les gens payaient pour l'écouter soit parce qu'ils avaient un parent là-bas, soit parce qu'ils devaient s'y rendre prochainement, soit parce qu'ils voulaient rêver tout simplement. En cette époque de BUMIDOM[1] beaucoup voulaient mettre entre la misère et eux les sept mille kilomètres de l'océan Atlantique et, sous la langue de Sam Dopie, la tour Eiffel brillait de tous ses feux, les Champs-Élysées se remplissaient de blondes très amoureuses des nègres, Pigalle ouvrait les portes du paradis et l'argent se pêchait dans la Seine.

En fait Sam Dopie avait appris par cœur un guide de Paris et il avait complété sa connaissance avec tous les récits de ceux qui y étaient allés. Ceux-là lui fournissaient un petit détail, un petit fait qu'il posait comme un piment rouge dans le court-bouillon de son imagination et, pour le reste, il inventait par déduction et par induction. D'ailleurs par la suite, Sam Dopie voyagea clandestinement dans un bananier et il devint une des vedettes du cirque Barnum. Pour le moment il était avec nous et il déroulait pour les passants, les élèves, les candidats au BUMIDOM, la tapisserie enchanteresse de Paris.

1. BUMIDOM : Organisme officiel qui gérait l'immigration.

Messieurs et dames, respect pour Sam Dopie !

Messieurs et dames, ils étaient trois comme la Sainte-Trinité. Je veux dire qu'il y avait aussi Rosan. Ah ouais, Rosan !

Rosan avait été le lutteur le plus prestigieux de toutes les veillées, de tous les sauvé-vaillant. Lorsqu'il entendait :

> O lenmi la ! O lenmi la !
> Sa ki vayan lévé lan men !
> Mwen ja pasé twentdé komin
> Pani majo pou jété mwen[1] !

son cœur se gonflait d'un sang guerrier, le sang de ses ancêtres guinéens. Ses jambes aspiraient la force de la terre et ses yeux s'enflammaient. Il parcourait les communes et les campagnes et il terrassait les plus robustes.

Un jour Saint-Val, mulâtre de Basse-Terre, le défia. Ils prirent rendez-vous sur la place de la Victoire. Toute la Guadeloupe s'était préparée à voir le combat du siècle car Saint-Val était un très grand champion. En se rendant au combat Rosan croisa une mangouste, elle allait traverser la rue. Brusquement elle rebroussa chemin. Mauvais présage se dit Rosan et peut-être qu'il aborda ce combat avec un mauvais pressenti-

1. Ô Toi l'ennemi ! Ô Toi l'ennemi !
Que les vaillants lèvent la main !
J'ai fait le tour des trente-deux communes
Nulle part je n'ai rencontré un « major » pour me vaincre !
(*Chant de défi avant la lutte.*)

ment. Toujours est-il que le combat fut terrible. Ils luttaient comme deux taureaux de savane, cornes dans cornes, et soudain l'on vit Rosan en train de tournoyer. Saint-Val le fracassa par terre. Depuis ce jour fatal Rosan conduit le monde dans une chaise roulante.

Eh bien, messieurs et dames, si j'ai longuement parlé de la Sainte-Trinité, c'est qu'elle prit la direction des opérations à la suite du cri de Man Tata.

Ah oui ! Ti-Saint-Louis, leste malgré son éléphantiasis, Sam Dopie, notre nain national (boule de chair), Rosan excité dans sa chaise roulante prirent la direction de la chasse à l'Homme-au-Bâton.

Au fur et à mesure que la meute progressait, elle grossissait renforcée par tous les badauds. Certains avaient emboîté le pas sans savoir pourquoi ils étaient là. Les rumeurs les plus folles circulaient. Pour les uns on allait éteindre un feu qui brûlait tout chez Mme Adeline, pour les autres on allait décoller deux malélevés soudés comme des chiens. D'autres encore étaient persuadés qu'on allait voir un trésor découvert dans la cour du lycée. Tout le monde marchait d'un pas décidé.

Ti-Saint-Louis s'amusait à terroriser les passants. « Ou pa vouè lom-o-baton ? Di nou la i pasé[1] ! » En malmenant le soi-disant témoin, il

1. *Ou pa vouè lom-o-baton ? Di nou la i pasé !* : As-tu vu l'Homme-au-Bâton ? Dis-nous par quel chemin il est passé !

lui arrachait les réponses les plus farfelues à force de calottes, dos-de-main, revers appuyé, palaviré[1] jusqu'au célèbre coup de pied qu'il accompagnait de : « Pompi pwan-i di tonnes[2] ! »

Rosan faisait voler la poussière avec les roues de sa chaise. Il progressait avec une vélocité surprenante en tête du convoi. Tel un homme de proue, il criait « mimiye[3] » chaque fois qu'il apercevait une forme noire dans les environs.

Même quelques chiens créoles, las de triturer en vain des paquets d'ordure, préférèrent promener leur maigreur derrière le commando afin de profiter de l'ambiance. Excités par les cris et les jurons, ils aboyaient à contretemps et essayaient de convaincre une rétive femelle. À un moment donné on crut voir une robe noire qui marchait trop vite pour être honnête.

Cette fois-ci on le tenait ! il fallait porter une bonne manœuvre pour le capturer.

Rosan proposa une dispersion stratégique dans les rues adjacentes et un mouvement convergent vers la rue Henri-IV. Exécution !

Et de fait l'on s'exécuta sous les regards surpris qui tombaient des balcons. À cette heure-là, la plupart des magasins étaient fermés et d'habitude il n'y avait aucune animation, excepté le tournoiement enroué des ventilateurs ou les cris désolés d'une marchande attardée.

1. *Palaviré* : Forte gifle.
2. *Pompi pwan-i di tonnes !* : À toi Pompi, donne-lui un coup de pied de dix tonnes !
3. *Mimiye* : Le voici.

Au 26 de la rue Henri-IV se trouvait l'entrée d'un immeuble. Une de ces vieilles maisons coloniales avec balcons en fer forgé qui, du haut de ses trois étages, tentait de défier l'altière façade du lycée Carnot.

Au rez-de-chaussée on y tenait une buvette bien approvisionnée. Sandwiches au jambon, au fromage et, délice des délices, au maquereau pimenté, voisinaient avec des pâtés au crabe, des tourments d'amour et des paquets de biscuits Tuc sagement rangés. Cela accompagnait les longues conversations des habitués qui réclamaient plus souvent que rarement un sec à boire.

La spécialité de la maison était le punch au bois-bandé[1]. Divine et bienveillante liqueur, cachée dans le tabernacle : un superbe vaisselier en mahogani.

Le bois-bandé, réservé aux initiés, ne se demandait pas, il se suggérait d'un clignement d'yeux, ou d'une boutade, voire d'une devinette ou d'un jeu de mots.

On pouvait par exemple dire que le gombo poussait mal en cette saison de sécheresse, que le piquois méritait d'être remanché, qu'il y avait longtemps que le coutelas n'avait pas été affûté...

Inutile de préciser que la patronne était devenue au fil des ans indifférente aux égrillar-

1. *Punch au bois-bandé*: Punch aphrodisiaque dans lequel macère l'écorce de l'arbre connu sous le nom de bois-bandé.

dises et aux vantardises de ses clients. À la mort de son mari, paix à son âme et qu'il reste là où il est, le vaurien !, elle avait jugé opportun d'arrondir ses revenus en transformant le premier étage en pension et le second en chambres d'hôtes comme elle disait. Les pensionnaires, pour la plupart des hommes âgés, croisaient dans l'escalier des visiteurs bien accompagnés qu'il était convenu d'appeler « les cousins » et leurs « doucelettes ».

L'entrée commune à la pension et aux chambres d'hôtes se situait juste à côté de la buvette. C'est là qu'échoua le groupe des convergents estimant que, sans aucun doute, l'Homme-au-Bâton s'y était discrètement englouti.

La patronne fut effarée en voyant une telle effervescence devant sa pension. Elle essaya de parlementer mais Sam Dopie ne voulait rien entendre. Il parlait d'autant plus en major que Ti-Saint-Louis appuyait tous ses dires avec la détermination inébranlable d'un homme prêt à tout. Il exhibait d'ailleurs son visage des mauvais jours. Rosan pestait contre cette maudite chaise roulante qui l'empêchait d'escalader l'escalier et il jurait que Mésié si an pa té infim, dépi lontan an té ké ja an ho la[1] !

La patronne proposa une solution. « Si vous êtes sûr et certain qu'il est là-haut, laissez-moi appeler l'inspecteur Rigobert ! »

1. *Mésié si an pa té infim, dépi lontan an té ké ja an ho la !* : Messieurs si ce n'était mon infirmité, il y a longtemps que j'aurais déjà grimpé là-haut !

Un brouhaha désapprobateur fut la seule réponse. Ti-Saint-Louis la bouscula et tout le monde chargea l'escalier comme une horde d'éléphants.

Le plancher gémit sous le poids et le professeur Boretti, un des pensionnaires, crut revivre le temps de la Gestapo.

Toutes les chambres d'hôtes furent fouillées.

Il y a des canaris qu'il ne faut jamais découvrir car l'odeur d'un manger-cochon vous reste à jamais aux narines.

C'est ainsi qu'on surprit le très distingué proviseur du lycée avec une de ses élèves, ma chère, ma pauvre! Le bon M. Dodor, commerçant réputé pour son austérité, en compagnie d'une donzelle un peu trop fraîche pour ses cheveux blancs. Mésié an ka ba zot sa zot vlé mè fopa madanm an mwen sav sa[1]!!!

Le respectable président du Comité de sélection des Miss en train de tâter les formes d'une future candidate. Mésié mi fè[2]! Et en finale de compte, l'Homme-au-Bâton, ou plutôt l'abbé Corneille qui envoyait pieusement au septième ciel Mme Suzanne, responsable de la chorale paroissiale.

En deux temps trois mouvements, la chambre fut envahie par une masse vociférante. Misié

1. *Mésié an ka ba zot sa zot vlé mè fopa madanm an mwen sav sa!!!*: Messieurs, par pitié, je vous donne tout ce que vous voulez mais il ne faut à aucun prix que ma femme soit au courant de cette affaire!

2. *Mésié mi fè!*: Messieurs c'était dur (à croire/à vivre)!

labé ! L'abbé Corneille, tout nu, se blottissait dans le lit et sa compagne s'était enroulée dans le drap comme une momie égyptienne.

Poussé par une inspiration divine, il se redressa, sortit du lit, revêtit calmement sa robe et commença à dire la messe en latin.

« Prions mes frères, prions avec moi pour ôter Satan de nos corps. Prions pour délivrer tous les pauvres pécheurs égarés dans ce lieu de perdition. Prions. » *Pater Noster, Ave Maria, Dominus vobiscum, Alléluia* voltigeaient allégrement dans sa bouche.

Ce fut tellement inattendu que la stupéfaction ramena le calme. Sam Dopie fut le premier à s'agenouiller, puis Ti-Saint-Louis, puis tous les autres. « C'est dans une étable que le Christ est né et c'est dans cette maison de perdition que nous retrouvons la foi. Prions le Seigneur ! » Rigobert, vitement prévenu par un émissaire de la patronne, écarquilla des yeux grands comme des dombrés quand il débarqua.

Il crut tout d'abord qu'il y avait un mort mais quand les regards se portèrent sur le lit ils eurent la surprise de constater qu'il était vide. Mme Suzanne s'était envolée floup ! Quand ? Comment ? Personne ne l'a jamais su. Une seule chose fut certaine, c'est qu'on la vit peu de jours après monter sur la passerelle du *Colombie* en partance pour la métropole.

Certains crièrent au miracle, d'autres doutèrent de leurs sens, mais tous reconnurent que Ti-mâle, labé la fo tout bonnement[1] !

Rigobert s'en alla tête basse en méditant sur les « surprises » révélées par les chambres d'hôtes. Décidément Lapointe était une ville pleine de secrets !

1. *Ti-mâle, labé la fo tout bonnement !* : Mon gars, l'abbé est drôlement fort !

Rigobert continuait ses entraînements chez Vovonne et il naissait entre eux une complicité. Rigobert comprenait mieux les réactions de Vovonne et surtout il trouvait qu'elle n'était pas dénuée de bon sens. Il entrait peu à peu dans les secrets d'un monde qu'il avait jusque-là méprisé et au fil des jours il en était venu à considérer « Vo » comme un être normal.

« Comment es-tu devenu... ?

— Tu veux dire macoumè ?

— Ouais.

— Le voisinage », répondit Vo en se plongeant dans des temps-longtemps.

Il raconta son enfance. Une enfance de petit nègre pauvre et soumis. « Les gens avaient pris l'habitude de m'employer à toute sorte de petits dépannages. »

Puis un jour, il y eut un nouveau voisin... Sa mère n'était jamais là, son père cuvait une charge d'alcool. Peu à peu il avait pris de mauvaises mœurs...

Vovonne parlait avec beaucoup de pudeur, lâchant les mots comme on lâche une casserole brûlante, avec une ombre d'amertume dans les yeux. Et Rigobert entrevit derrière son personnage de bouffon une détresse soigneusement camouflée.

La plaie de ne pas être comme tout le monde. Alors, il avait voulu se venger en jouant la provocation et en transformant son boulet en une arme redoutable contre la société. Il s'était enrichi pour mieux mépriser les autres. Il avait voyagé, avait plongé dans les dessous de Paris et il s'en était revenu après avoir compris que son destin était ici pour mettre de la chaleur dans le théâtre de Lapointe.

Pour changer de conversation Vovonne s'indigna. Cette histoire de l'Homme-au-Bâton était foutre curieuse ! Comment, brusquement, dans une petite Guadeloupe comme cela on n'arrivait pas à capturer un scélérat qui défoufounait les femmes ! Mais quand même ce sont des choses dont on n'avait pas besoin !

Rigobert baissa la tête. Il était enragé contre lui-même de n'avoir pas encore réussi. La ville était toujours en pleine ébullition. Et maintenant, dans les communes, les enfants évitaient les sentiers trop isolés. Ils faisaient le détour pour ne pas traverser certains bois. Partout on voyait la main de l'Homme-au-Bâton.

À Capesterre, au lieu-dit l'Habituée, une jeune fille de treize ans s'était réveillée dans des draps rougis par le sang et la famille affirmait que c'était là l'œuvre de nostrom.

Des parfois, l'Homme-au-Bâton était une aubaine...

Mme Carbet était une belle négresse, pour ça on pouvait le dire ! Elle nageait avec souplesse dans la belle eau noire d'une peau sous laquelle le bon Dieu avait distribué des formes aussi généreuses qu'harmonieuses. C'était un plaisir pour les yeux que de la regarder passer surtout lorsqu'elle descendait en ville. Les cercles d'or brillaient comme deux fleurs de soleil à ses oreilles et son cou s'auréolait de la lumière jaune d'un collier grain-d'or. Elle aimait à porter une robe d'un blanc éblouissant, légèrement décolletée. Chacun de ses pas faisait naître une traînée de feu. Même Mérinel, le timide de la commune, s'exclamait : « Mésié madanm la sa ! An té ké...[1] » et ses yeux se fermaient sur le rêve d'une étreinte. Hélas ! il était trop pauvre et trop réservé pour une dame comme cela, qui n'était pas de son rayon.

Mme Carbet n'ignorait rien des désirs qu'elle suscitait. Chacune de ses sorties était un véritable défi lancé à tous les hommes.

Elle sentait leurs soupirs sur sa peau comme une nuée de papillons qui rendaient son sang plus chaud, plus vivant.

1. *Mésié madanm la sa ! An té ké...* : Messieurs, cette femme-là ! je lui aurais...

Elle se faisait belle pour faire sa récolte de compliments.

Le directeur du collège, homme d'une belle prestance et coq à beau plumage, ne disait mot mais il attendait son heure avec la patience d'une boîte à crabes. La prise était à sa mesure, il le savait et il dégustait à l'avance le moment béni où elle allait frétiller au bout de son hameçon.

Plus profonde est l'eau, plus douce est la pêche avait-il coutume de dire à ses collègues qui soit par flagornerie, soit par sympathie admiraient ses prouesses de chien-femmes.

Il faut dire qu'il avait une superbe D.S. noire. La même que celle du général de Gaulle se plaisait-il à souligner.

Derrière sa pipe, la main ornée d'une chevalière et d'une gourmette, le corps toujours arrosé de parfums rares, il faisait le beau, conscient de sa valeur de fonctionnaire « cadre-métropolitain » et de phraseur à la langue fleurie.

Mme Carbet comme toutes les dames de la commune l'avait remarqué sans lui prêter plus d'intérêt. Elle se savait repérée mais elle n'était pas femme à perdre la tête pour des yeux-doux ou un bonjour tout en miel. Et puis ma foi, Carbet, artisan-garagiste de son état, était brave homme. Elle n'avait nul besoin de compliquer sa vie.

La rivière déborde mais elle laisse toujours pour nous la pierre de notre destinée. Mme Carbet fut affectée par le maire à la cantine du collège.

Son arrivée provoqua grand émoi dans la fourmilière des agents. Les hommes, ce jour-là, s'activèrent plus que de coutume en profitant de la moindre occasion pour lui adresser sourires et compliments. Les femmes, elles, agacées par l'intérêt que suscitait la nouvelle, lui tendirent tous les pièges possibles et imaginables.

C'était un faitout brûlant à porter, un coin manifestement oublié à nettoyer, un nombre exagéré de couverts à dresser.

Mme Carbet en femme orgueilleuse s'appliqua à bien faire, feignant d'ignorer toutes les attrapes qui étaient tendues.

Elle était presque satisfaite de ses premières journées lorsque surgit le directeur réclamant d'un ton impérieux le cahier de contrôle. Mme Carbet, prise au dépourvu, ne put que balbutier un piteux « je savais pas ». M. le directeur s'emporta : « Si on vous a affectée ici c'est que vous êtes capable de faire le travail ! »

En réalité, le directeur était irrité contre la décision du maire qui avait écarté une de ses favorites. La fière dame retint ses larmes et laissa passer l'ouragan.

De ce jour elle devint le souffre-douleur du directeur. Toutes les humiliations, toutes les remontrances, toutes les injustices lui étaient réservées au point que les autres femmes se sentirent solidaires de sa détresse et la poussèrent à exiger une explication.

Au zénith de sa beauté, sûre d'elle, elle entra dans le bureau pareille à un taureau de race qui va affronter le toréador. Le directeur tressaillit, devina sa détermination et prit le parti de se réfugier derrière une mine austère.

« Monsieur le directeur, je suis une mère d'enfants et je n'ai pas fait grand l'école et je suis venue ici, envoyée par monsieur le maire, pour gagner honnêtement le pain de mes enfants. Or depuis mon arrivée jusqu'au jour d'aujourd'hui je subis sans cesse. C'est à croire que vous êtes un homme sans manman ! Aujourd'hui, je suis là, bien debout devant vous, et je suis venue vous demander, avec tout le respect que je vous dois "ka an fè ou[1] ?" »

D'abord le directeur prit le temps d'allumer sa pipe, ensuite il dévisagea longuement Mme Carbet, enfin il commença à parler.

« Sé kon sa an yé[2] ! Je ne te persécute pas ma chère ! Mais il faut que je fasse marcher les affaires des blancs ! On me paye pour cela et je suis un homme réglo.

— Réglo, c'est ce qu'on appelle réglo ? Purger une malheureuse... »

Elle fondit en larmes. Le directeur garda le silence tout en regardant les mouvements d'indignation qui soulevaient les seins de Mme Carbet. Elle était encore plus belle dans

1. *Ka an fè ou ?* : Littéralement « Qu'est-ce que je vous ai fait ? » autrement dit : « Pourquoi vous m'en voulez ? »

2. *Sé kon sa an yé !* : C'est comme ça que je suis (c'est ma nature !).

son désarroi et sa féminité sortait d'elle comme une chose matérielle qui jaillissait de toute sa personne. Sa présence, à ce moment-là, s'imposa à lui avec une force presque gênante. Aussi, sans répondre, il se leva, fit le tour du bureau et l'embrassa voluptueusement.

Mme Carbet, étourdie par ce baiser, ne comprenait rien. Elle s'abandonna et sut que depuis longtemps son corps réclamait. Ils s'embrassèrent, se tétèrent, s'enivrèrent l'un de l'autre sans même prendre conscience de ce qui arrivait.

Commencèrent pour eux des jours hors des jours. Mme Carbet se métamorphosa, sa beauté prit l'allure d'un somptueux navire ancré en de nouvelles terres où l'arc-en-ciel vous prenait par la main pour vous conduire à la source même du bonheur. Ses mots empruntèrent les couleurs du beau temps et lorsque le temps était gris elle ne parlait pas pour ne pas avaler l'amertume du paysage. Toute chose banale devint dans ses lèvres une merveille propre à déclencher un fou rire ou un chant d'oiseau. Elle caquetait annonçant au monde qu'elle avait pondu un œuf d'amour tout chaud. Sa belle peau noire s'imbibait des lueurs d'un étang sauvage à l'approche du couchant.

D'instinct les autres femmes sentirent que le malfini du bonheur avait plongé son bec dans l'eau moussue de leur « collègue ». Certaines s'en réjouissaient, estimant que, mon Dieu, il n'y avait pas tant d'or que ça dans le minerai quotidien de la vie et que ma foi si l'une d'entre elles trouvait une pépite en dehors du filon officiel, elle n'était pas à dédaigner.

D'autres, au contraire, jouaient les indignées et coloraient leurs regards de mépris à la vue de la nouvelle élue. Toutes se livrèrent à une sourde compétition pour se prouver qu'elles auraient pu être à la place de cette chanceuse. Progressivement elles améliorèrent leur toilette, se couvrirent de bijoux et bientôt les institutrices, pourtant bien rodées à la guerre des coups de toile, furent dépassées. Dépitées, elles se réunissaient dans la cour de récréation pour commenter avec aigreur la situation. Mais pour qui se prennent-elles, hon ?

La roue du bonheur ne déjantait pas pour Mme Carbet et c'est à peine si elle avait conscience de tout ce voukoum autour d'elle.

Elle était toute à ses amours. Tous les prétextes étaient bons pour rendre visite à M. le directeur.

Ah, monsieur le directeur ! Pressentant que cette passion-là ne serait pas comme les autres, il avait entrepris d'aménager la pièce qui s'ouvrait juste derrière son bureau.

Il expliqua à son épouse que parfois il éprouvait le besoin de s'isoler et qu'il lui fallait un coin tranquille loin des cris des enfants, du bruit de la radio et des allées et venues de la bonne. Sa femme ne fut pas dupe. Elle se fana de plus en plus, repoussa un peu plus profondément ce qui lui restait de cœur. Elle devint comme un arbre dont un serpent maudit suçait la sève. Elle tomba malade.

Le médecin après avoir ausculté, visité, questionné déclara : « Je ne vois rien sinon un grand chagrin ! » Lorsque son mari apprit le diagnostic, il entra dans une folle colère et accusa la malheureuse de le faire passer aux yeux de tous pour un bourreau. Il sauta dans la D.S. pour aller dire deux mots quatre paroles à ce médecin qui se mêlait de sa vie privée.

Ils en vinrent aux mains. La bagarre n'alla pas loin car les patients intervinrent pour séparer ces deux notables qui se comportaient comme des nègres-bois. Tout ce qu'ils comprirent c'est qu'une femme était la cause de ce goumé. Quelle femme ? Mme Carbet, croix sur bouche ! On lui prêta, dès lors, le directeur, le médecin, le maire sans compter ce qu'on ne savait pas. Il s'en trouva une pour s'écrier : « Mais foufoune aye en lo[1] ! »

Tout cela inspira notre chansonnier communal : un nommé Quèchequèche, véritable orfèvre de la corne de bœuf et de l'écaille de tortue. Il passait son temps, entre deux jobs, à fuir les commandes et à composer des chansons.

1. *Mais foufoune aye an lo !* : Mais sa chatte est plus précieuse que l'or !

Sé jou la lo tré bon maché
Misié li mè achté douvan
direktè di fo li achté osi
é jodi jou mi doktè ka pwan
yen ki Kechkech ki pa ni ayen !

bijoutri kabé sé a tou founi
bijoutri kabé sé a tou foufouni
bijoutri kabé ké fin toutouni[1] ! »

L'on riait aux éclats. Bravo Quèchequèche ban nouye anco[2] ! Carbet au fond de son garage n'entendait pas les rumeurs qui souillaient la réputation de sa femme. De toute façon il connaissait la malparlance des gens. Le nègre aime à déchirer la charité du nègre, c'est connu ! Pourtant, sans rien savoir, il en voulait à ce directeur trop imbu de sa personne.

Carbet martelait, dévissait, revissait sans se soucier tandis que le directeur vivait dans son arrière-bureau des ébats dignes d'un pharaon.

Mme Carbet marchait sur les eaux et cueillait toutes les offrandes de la mer. Elle ne savait

1. Ces jours-ci l'or se vend bon marché
Monsieur le maire s'est servi le premier
alors le directeur s'est dit il faut que j'achète aussi
et aujourd'hui c'est le docteur qui se sert
Seul le pauvre Quèchequèche n'a rien !

À la bijouterie Carbet on trouve tout !
À la bijouterie Carbet on trouve même des foufounes !
(C'est pourquoi) la bijouterie Carbet finira toute nue !

2. *Bravo Quèchequèche ban nouye anco* : Bravo Quèchequèche chante à nouveau.

plus délimiter dans l'espace où elle tourbillonnait ce qui appartenait à la terre et ce qui était la part du ciel. Il lui en coûtait beaucoup de feindre lorsqu'elle reprenait sa place à la cantine mais elle ne trompait personne.

Elle endura les sarcasmes, les allusions, les sous-entendus et certains silences déchiraient cruellement la voile de son bonheur. Elle endurait. Cependant chaque fois qu'il fallait négocier une faveur on la désignait comme si la chose allait de soi.

Un jour, son mari reçut une lettre. Tout occupé à ses moteurs, il la déposa parmi des factures pleines de cambouis. Puis le soir venu, après un bon souper, il entreprit de la lire. Extravagante lettre !

Cher monsieur,
Votre femme n'est plus à vous. Elle m'appartient désormais. Aussi je m'emploierai à prélever la part de miel qui me revient. Ne vous inquiétez pas si vous constatez quelques changements. Ce sera la preuve de mon pouvoir. Résignez-vous !

L'Homme-au-Bâton.

Que pouvait bien signifier cette lettre ? Comme tout le monde, Carbet avait entendu parler de l'Homme-au-Bâton et il s'était moqué de la crédulité des nègres. Cela ne pouvait être qu'une mauvaise plaisanterie. Le monde était plein de jaloux qui ne trouvaient leur bonheur qu'en mettant du fiel dans le pain d'autrui.

D'un air indifférent il tendit la lettre à son épouse en lui disant : « Regarde jusqu'où va la méchanceté du monde ! »

Mme Carbet prit la lettre et éclata de rire après l'avoir lue. « Je savais que je plaisais aux hommes mais je n'avais jamais pensé qu'un jour les "esprits" me feraient la cour ! » Au fond d'elle-même, elle était profondément troublée. Elle flairait là un danger. Quelqu'un manifestement essayait d'alerter son mari. Mais qui ? Pourquoi ?

Une petite sueur fine couvrit le bout de son nez. Elle se réfugia dans la cuisine afin de réfléchir à son aise tout en faisant la vaisselle. Qui avait envoyé cette lettre ? N'essaierait-on pas de la faire chanter ? Son cerveau éclatait. Elle devait rester sur ses gardes jusqu'à ce qu'elle repère le maco[1] !

Les jours passèrent sans autres soucis que les frayeurs que causent les amours adultérines. La commune menait sa vie avec son lot de cancans habituels. Les pêcheurs affrontaient la mer sur leur gommier et ils provoquaient à leur retour une cohue chahuteuse autour des canots. Les marchandes de poissons sillonnaient la campagne et l'école continuait à remplir la tête des négrillons et des zindiens de vérités universelles venues de France (mère de tous les savoirs !).

1. *Le maco* : Le délateur. Le maco est d'une manière générale celui qui surveille les affaires des autres.

M. et Mme Carbet avaient depuis longtemps oublié la lettre malparlante quand beaucoup d'hommes de la commune firent savoir qu'ils recevaient des lettres de l'Homme-au-Bâton.

Il s'agissait chaque fois d'hommes vivant avec de belles chères excitant la convoitise des uns et des autres. Une chose était certaine, l'Homme-au-Bâton avait bon goût.

Chacun réagit selon son cœur. Certains se contentèrent de trouver la blague très amusante, mais d'autres, estimant qu'on n'avait jamais vu de fumée sans feu, infligèrent à leur femme de mémorables raclées, à grands coups de bâton-balai. D'autres encore en profitèrent pour déterrer toute espèce de vieux cadavres et pour régler les comptes et les compteurs. On peut dire sans mentir que ce furent là des jours très durs pour toutes les femmes de la commune. Beaucoup retrouvèrent le chemin de l'église en priant Dieu de mettre fin à leur calvaire.

Un drame cependant allait rester dans les mémoires.

On vit un soir arriver la jeune Marguerite Sama, beauté des beautés, le visage gonflé de coups, le corps lacéré, les vêtements déchirés et ensanglantés. Elle ne répondit à aucune question. Le médecin fut formel : elle avait été sauvagement violée. Les gendarmes refusèrent la déposition des parents. Elle accusait l'Homme-au-Bâton.

Que faire d'une jeune plante meurtrie qui

jouait avec la folie douce ? On l'expédia en France car comme on le sait les « esprits » n'enjambent pas les eaux.

Dans le même temps, à Pointe-à-Pitre on retrouva une jeune lycéenne noyée dans son sang dans une des chambres du père Marcel. Sur la table de nuit, une liasse de billets puait la mort.

La police ordonna la fermeture de l'établissement. Quelques jours après, de mystérieuses flammes dévoraient tout. Personne ne voulut acheter l'emplacement livré depuis aux chiens errants et aux herbes-guinée.

La panique augmenta. Les maires lancèrent en vain des appels au calme. L'Homme-au-Bâton voltigeait de lèvres en lèvres, semant la terreur.

Les marchands de cannes et de parapluies s'arrachaient les cheveux car personne, de peur d'être soupçonné, ne s'aventurait plus avec ce genre d'accessoires. On brûla même, en grande pompe, une canne suspecte trouvée sans maître sur la place de la Victoire.

Pendant que l'effroi se répandait, mettant toutes les femmes aux aguets, plissant le front de tous les hommes, Mme Carbet continuait à vivre ses amours coupables.

Un jour, il lui fallut se rendre à l'évidence : elle était enceinte ! En apprenant la nouvelle, le directeur ne s'émut pas. Au contraire, il sortit toute une gamme de mots doux pour rassurer sa bien-aimée.

« Petite caille noire, où est le problème ?
— Carbet ne peut plus avoir d'enfants !
— Et après ? Et l'Homme-au-Bâton, c'est pour les chiens alors ? »

Mme Carbet orchestra avec un art consommé une mise en scène des plus spectaculaires. Un soir, elle se doucha, se parfuma, mit une chemise de nuit transparente et prétexta une « indisposition » pour dormir seule dans la chambre de bonne.

De très mauvaise grâce, Carbet accepta, plus parce qu'il croyait qu'il y avait en toute femme un petit grain de folie que par conviction.

Au beau milieu de la nuit, alors que la pleine lune enflammait les arbres et la mer, Carbet entendit des gémissements de plaisir. Il s'empara d'une manivelle et descendit dans la chambre de bonne. Là, il vit une incroyable scène.

Mme Carbet, dans une position très obscène, faisait l'amour avec... personne.

Il n'y avait personne d'autre dans la chambre ! Pourtant, elle se donnait, elle criait, elle suppliait, elle bavait, elle se tordait comme une possédée submergée par dix mille montures. Carbet s'oublia à contempler cette vision. Il n'avait jamais vu sa femme comme ça ! Ses belles cuisses noires dansaient, son bassin ondulait et son ventre tremblait comme un beau lac noir harcelé par un vent coquin.

Lorsqu'il revint à lui, il se précipita vers la salle de bains, remplit un seau d'eau et doucha avec rage sa femme. Celle-ci, les cheveux mouillés, les yeux hagards, bredouilla pleine de reconnaissance : « L'Ho.... l'Homme-au-Bâton ! » Puis elle s'écroula dans un sommeil de femme droguée par la jouissance.

Carbet la veilla tout le restant de la nuit, une serviette mouillée à la main pour calmer les ardeurs de son front car de temps en temps elle délirait.

Le surlendemain, il reçut une lettre, signée de l'Homme-au-Bâton, qui lui annonçait que sa femme était enceinte.

Carbet, homme discret de nature, ne put garder un secret aussi terrible. Il s'en ouvrit à un parent qui après avoir juré, sur la tête de sa mère, de ne rien révéler s'empressa de confier une chose à ne pas répéter à un ami qui lui-même élargit la ronde jusqu'à un journaliste.

C'est ainsi que des articles parurent dans la chronique réservée à l'Homme-au-Bâton annonçant une naissance prochaine.

Et pour de vrai, dans les mois suivants, le ventre de Mme Carbet s'arrondit comme une belle pleine lune noire qu'elle caressait avec amour. Elle avait repoussé toutes les propositions d'avortement. C'était contraire à l'Église et puis tout ce qui arrive dans la vie est nécessaire ! Le directeur riait aux éclats en demandant sans cesse des nouvelles de la bonne Mme Carbet, vaillante négresse devant l'Éternel. Carbet blanchissait de jour en jour et il s'enfermait dans un silence douloureux.

L'enfant naquit. De mauvaises langues prétendirent qu'il ressemblait au directeur, mais Carbet n'était plus de ce monde. Il s'était laissé mourir de chagrin et de honte. Il y eut grand baptême, malgré les réticences du curé auquel on rappela que Jésus-Christ avait été, lui aussi, conçu sans péché ! Le directeur accepta d'être le parrain.

Rigobert avait fait d'énormes progrès sous la conduite de Vovonne.

Maintenant il chaloupait avec grâce sur ses talons aiguilles. Il se glissait avec naturel dans une robe fourreau. Il savait se dessiner d'adorables lèvres, pulpeuses à souhait. Il gardait sans problème le timbre aigu et mélodieux d'une voix de doudou.

Vovonne l'avait baptisé Martha.

Tout était prêt pour appliquer le plan.

Il choisit de louer une petite case au Carénage et commença à mener une double vie.

Le Carénage était l'un des points chauds de la Pointe. Il vivait au rythme de l'usine Darboussier. On y voyait déambuler des ouvriers soudeurs avec leurs lunettes noires sur le front, des chauffeurs de camions aux bras puissants, des peseurs, des marchandes d'acras, de boudin, de sucre d'orge, des pacotilleuses et des malheureuses venues vendre la viande de leur corps. Une animation permanente soutenue par la contrebande rendait le soleil plus chaud le jour et les nuits plus excitantes. Et personne n'a jamais su qui des voix d'hommes et de femmes, des klaxons, des pétarades de mobylettes ou du hurlement régulier de la locomotive faisait le plus de bruit. Le soir remplissait les buvettes et vidait des litres et des litres de rhum. Les manawas s'agglutinaient devant une petite chapelle, non loin de la sortie de l'usine, et là appâtaient les ouvriers et les marins en mal d'amour.

Leurs voix de Saint-Domingue, de la Dominique ou d'Haïti chantaient dans la nuit. De lourdes odeurs de sirop-batterie, de sueurs et de ploum-ploum flottaient dans l'air.

D'autres se postaient devant leur case, appétissantes dans des jupes trop serrées ou dans des pantalons moulants, étrangleurs de foufounes.

D'autres encore se mêlaient à la cohue des hommes et épousaient leurs plaisanteries et leurs soifs.

L'Homme-au-Bâton ne pouvait pas ne pas passer par là !

C'est pourquoi, à la tombée de la nuit, Rigobert, métamorphosé en femme des rues, se promenait dans le quartier, grisé par l'ambiance et sûr de son plan.

Rigobert se faisait appeler Olympe du nom d'une de ses tantes déjà décédée.

Sa case jouxtait celle d'Elsy, une Dominicaine bien en chair qui se prostituait pour payer les études de sa fille dans un collège huppé de Puerto Rico.

Elsy aimait s'asseoir sur un petit banc, devant son unique pièce, coupée en deux par un rideau en tissu imprimé, en attendant ses clients. Elle ne racolait pas sur le trottoir comme les autres, elles ne travaillait qu'avec des abonnés qui savaient où la trouver dans le dédale que dessinait la disposition des cases.

Elle aimait causer avec son « amie » Olympe qu'elle trouvait très distinguée et très instruite. À vrai dire, elle ne comprenait pas comment ni pourquoi Olympe avait échoué dans ce quartier dévergondé et déchiré par tous les vices, mais la règle du milieu était de ne jamais poser de questions.

Olympe avait consenti à lui faire quelques confidences d'où il ressortait que, malade, elle était hors circuit et qu'elle vivait de la rente que lui octroyait le bon monsieur Rigobert.

Elles étaient devenues de bonnes commères, toujours prêtes à échanger un petit service, ou à partager un verre de Martini. Olympe, elle, était fascinée par Elsy, par son courage devant la vie, par son rire qu'elle envoyait en l'air comme un ballon, et aussi par... ses formes. Elsy sans le savoir soumettait Olympe-Rigobert à la torture, en se déshabillant devant lui sans pudeur ou même parfois en se livrant à des ablutions intimes tout en continuant la conversation comme si de rien n'était.

Olympe lui parla de l'Homme-au-Bâton et Elsy lui avoua qu'à cause de cette histoire, elle avait fait un voyage en Haïti pour se protéger et qu'elle portait constamment sur elle une paire de ciseaux pour se défendre. Selon elle c'était un détraqué, un bougre-fou !

Rigobert n'arrivait pas à percer le mystère de son existence car Elsy, tout en parlant de tout, parlait assez peu d'elle et de son pays. Souvent, elles restaient côte à côte, savourant en silence toute la vie obscure qui sortait du Carénage. Dans ces moments-là, Rigobert était pris d'une furieuse envie d'embrasser les lèvres d'Elsy et de la basculer dans le monde de l'extase. Il se contentait de quelques petites tendresses anodines acceptables entre commères.

Un soir, tout s'effondra.

Rigobert avait décidé de rôder près de la darse pour attirer l'attention. Il avait choisi un soir de clair de lune. L'eau buvait les reflets sans pour autant révéler les dessous de ses profondeurs. Quelques bateaux endormis ressemblaient à de sombres baleines. Rigobert-Olympe allait et venait, attendant l'Homme-au-Bâton.

La police effectuait une ronde dans une vieille estafette. Soudain un des policiers aperçut une forme près de la darse. « Les hommes, les hommes ! Regardez ! C'est suspect ça ! » La voiture fonça en direction de la darse ! Rigobert paniqué à l'idée d'être découvert remonta au galop vers Bas-de-la-Source. Gêné par les talons, il entra dans le premier bar qu'il trouva et commanda un sec. Peu après, les policiers firent irruption. L'atmosphère se tendit durement et la gêne s'installa dans toutes les conversations. Ka sé mésié vini chaché la[1] ?

Un policier remarqua une perruque posée de travers et il s'avança.

« 'Os papiers, 'Adame ? »

De grosses gouttes de sueur dégoulinaient sur le front d'Olympe. Elle fit mine d'ouvrir son sac avec une telle lenteur que le policier s'impatienta. Il le lui arracha brutalement des mains. Olympe lui balança un bon modèle de coup de tête qui le mit K.-O. sur-le-champ mais en tombant il s'agrippa à la perruque qui lui resta dans les mains. À la grande stupéfaction de tout le monde, le visage de Rigobert se détacha de celui d'Olympe. Il y eut un fou rire général. L'un des clients s'écria : « An pa té sav misié té macoumè[2] ! » et toute la salle scanda en chœur « Rigobè, macoumè ! Rigobè, macoumè ! » L'inspecteur Rigobert s'évanouit.

Le lendemain, tandis que Rigobert, ô honte, subissait un interrogatoire musclé, car ses collègues, loin de croire à son histoire, le soupçonnaient d'être l'Homme-au-Bâton soi-même, toute la ville chuchotait avec des rires étouffés l'incroyable révélation. Déterville, crieur de journaux, arpentait les rues avec son slogan

1. *Ka sé mésié vini chaché la ?* : Qu'est-ce qu'ils sont venus chercher ici ?

2. *An pa té sav misié té macoumè !* : Je ne savais pas (j'étais loin de me douter) que ce bonhomme était pédé !

favori : « Yo pongné on racoon ! mi foto aye[1] ! » et l'on voyait en première page (ô honte !) la photo de Rigobert !

Elsy, convoquée à la police, fit une déposition dans laquelle elle traitait Rigobert de pervers sournois abusant de la bonne foi des chrétiennes ! Selon ses dires, il devait être macoumè pour de bon puisque, à aucun moment, il n'avait rien fait pour agir comme un homme. Elle se vengeait. Elle s'en voulait d'être tombée amoureuse de cette Olympe-là qui avait surgi un soir dans la souffrance de sa vie.

Vovonne, toujours scandaleuse, prit la défense de M. l'inspecteur mais l'ardeur même qu'elle mettait à plaider la cause de Rigobert acheva de convaincre tous les policiers qu'ils avaient eu des relations contre-nature.

Rigobert, écrasé par la honte, obtint, eu égard à ses excellents états de service, une retraite anticipée et alla finir ses jours dans la lointaine section de Fond-à-Man-Ba au Lamentin...

1. *Yo pongné on racoon ! Mi foto aye !* : Ils ont attrapé un racoon ! Voici sa photo ! Cela signifie que quelqu'un qui se croyait rusé, comme un racoon (sorte de renard des Antilles), s'est laissé prendre.

Le docteur Titon, gynécologue à l'hôpital général, n'y comprenait rien. De tous les coins et recoins de la Guadeloupe arrivaient des femmes qui se prétendaient enceintes des œuvres de l'Homme-au-Bâton. C'étaient, pour la plupart, des femmes mariées ou concubines et dont les hommes avaient jeté aux quatre coins du pays une semence aussi gratuite que féconde. Elles avaient toutes la même expression mêlée de culpabilité et d'allégresse. Elles jubilaient de jouer ainsi un bon tour à leur partenaire.

Elles arrivaient en consultation très tôt pour que le monde ne soit pas au courant de leurs affaires dans un pays trop regardant. Elles s'asseyaient sur les tristes chaises du couloir et évitaient de croiser les regards des autres patientes. De leur visage impassible se dégageait une sorte de sérénité résignée. Elles lançaient des coups d'œil furtifs à chaque nouvelle arrivante ou à chaque partante, feuilletaient un magazine fané en laissant vagabonder ailleurs un cerveau habitué à tromper l'ennemi.

L'ennemi était partout. C'était la servante dodue et fraîche qui devenait soudainement insolente.

On se souvenait encore de l'histoire de Mme Dambourin. De guerre lasse, elle avait bousculé sa servante indocile et indolente et celle-ci avait mis un bon pleurer par terre en répliquant, entre deux sanglots : « Madame n'aurait pas dû me traiter comme ça ! Ça fait bon deux ou trois mois que je suis avec Monsieur ! Nous sommes "collègues" ! »

À quoi bon la chasser. C'était simplement réalimenter Monsieur en chair fraîche. Il y avait ainsi des cohabitations forcées qui se passaient plus ou moins bien et qui allaient parfois jusqu'à l'écrasement de l'officielle !

C'était beaucoup plus souvent la maîtresse ! Ah celle-là ! Harcelante comme poil-à-gratter, revancharde et toujours à l'affût d'une démonstration publique de son pouvoir. On avait connu des duels par grossesses interposées. L'une ne voulant pas céder à l'autre le privilège d'un plus grand nombre d'enfants.

C'est ainsi que le père Nestor, en croyant rencontrer un bain de tendresse, hérita d'une douzaine d'enfants qui s'ajoutèrent aux douze du lit officiel. Il n'eut que le loisir de donner même prénom à droite et à gauche.

L'on connaissait aussi l'histoire de cette épouse qui tous les jours, à l'heure de la sieste, venait bombarder de pierres la maison où s'enfermaient son époux et sa rivale.

Mais le plus dur venait du disque des auditeurs. Toute la Guadeloupe entendait que « sa petite fleur cachée » envoyait à M. X *Après toi Je n'aurai plus d'aamour* en lui disant de ne pas oublier son anniversaire. Ou bien « une inconnue bien connue » dédie ce disque à M. Y en lui disant : « loin des yeux, près du cœur ». Mme X demande que l'on passe ce disque (*Foutez-moi donc la paix !*) à M. Z qui comprendra !

Ainsi *Qui vivra verra, Bambino, Salade de fruits, La prière de l'esclave* étaient utilisés sur les ondes comme des poignards pour déchirer les cœurs et chavirer les ménages.

Le plaisir des auditeurs étant d'ailleurs de décoder les en dessous du message qui pouvait s'agrémenter d'un proverbe du genre « Qui trop embrasse mal étreint ! » ou « Qui va à la chasse perd sa place ! » le tout enrobé de « petit cœur tendre », « petit colibri des îles » « petit canard laqué »...

Des parfois, un meurtre ponctuait la lassitude des femmes abandonnées ou humiliées.

On apprenait dans la presse, toujours portée par la voix caverneuse de Déterville, que « Yo pongné on racoon[1] ».

« Anita n'a pas admis d'être ainsi bafouée. Après quinze ans de vie commune au cours de laquelle elle a eu trois enfants, son concubin

1. *Yo pongné on racoon :* On a attrapé un racoon.

épousait une autre sans même la prévenir! Anita postée à la sortie de l'église a abattu l'infidèle comme un chien !

« Drame à l'église de Morne-à-l'Eau, messieurs et dames !

« Drame au Lamentin, messieurs et dames, le concubin rôti comme un cochon par sa compagne !

« Drame à Capesterre, elle empoisonnait son mari à petites doses quotidiennes ! »

Mais le plus extraordinaire fut le cas de Mme Maryse Bourizor ! En fait personne ne l'appelait ni Maryse, ni Bourizor, on la surnommait « la Chine » à cause de ses yeux bridés.

La Chine en toutes circonstances respectait sa devise : « An ka brilé kaz an mwen pou tyouyé on rat[1] » et tout le monde s'accordait à dire qu'elle avait tété une bonne dose de méchanceté à la mamelle. À la grande surprise du voisinage elle convola avec un Marie-Galantais phraseur et coureur. Un chien-femmes comme il en existait partout en Guadeloupe. Le ménage s'installa à Castel pour bénéficier du bon air et des bienfaits de la rivière. Cependant, très vite, le Marie-Galantais entreprit d'explorer tous les cœurs des alentours. Il affectionnait particulièrement Prise-d'Eau où il exerçait les fonctions de contrôleur, pour le

1. *An ka brilé kaz an mwen pou tyouyé on rat* : Je n'hésiterai pas à brûler ma maison pour tuer un rat. Phrase qui exprime l'idée d'un acharnement implacable dans la vengeance. Bien pauvres d'esprit et de cœur ceux qui y croient.

plaisir de jouir du spectacle des laveuses dans la rivière et parce que, ti-mâle, les femmes de Prise-d'Eau, nourries de belles ignames et de bons fruits-à-pain, étaient de véritables délices, de bonnes poulettes !

Fatiguée des nuits blanches passées à attendre son mari que seul ramenait le petit matin, les yeux bouffis de plaisir, le corps griffé de partout, et le coco vide de tout désir, elle décida de réagir.

Elle commença son enquête, en allant rendre des visites, à droite, à gauche, tout en faisant parler les uns et les autres sans éveiller les soupçons. Elle déploya une telle variété de belles manières, offrant un corossol par-ci, brodant un petit napperon par-là, portant un gâteau-première-communion là, que, finalement, elle fut informée de l'existence (croix sur bouche, je ne t'ai rien dit !) d'une petite coolie pour laquelle son phraseur faisait des folies.

Elle fut ulcérée lorsqu'elle découvrit que la belle avait déjà soutiré une véranda, des bijoux, des meubles, alors que son commerce battait de l'aile à cause des ponctions du sacripant.

Elle attendit la coolie dans un sentier désert, à la brune, et, sabre à la main, elle lui porta des coups mortels. Ouache pour les nuits blanches ! Ouache pour le détournement de coco ! Blip pour la véranda et les bijoux ! et Ouap, ouap, ouap pour les souffrances sans nom ! Puis elle découpa et préleva la coucoune[1] à vrai dire bien charnue et rentra chez elle.

Elle fit la meilleure fricassée du monde, puis elle dressa une table des grands jours avec argenterie, porcelaine et cristal et porta son trophée à son mari en lui lançant : « Mi viann' la ou inmè la[2] ! »

Le visage durci par la haine, le cœur aigri, elle prit le chemin de la prison où elle accoucha de la plus ravissante des filles.

L'ennemie, c'était encore la voisine, la belle-fille et parfois la fille même car, selon l'adage des hommes, dès que le cœur d'une femme bat, elle est bonne à prendre même si elle est haute comme une branche de thym.

L'Homme-au-Bâton tombait à point nommé pour laver tant d'humiliations, de mensonges, de tromperies dans une eau purificatrice.

Il était l'alibi tout trouvé, le prétexte invérifiable, le bras armé de la vengeance féminine.

Elles venaient, portant dans le cabas de leur cœur les misères cachées et les plaies intérieures. Silencieuses ou volubiles, elles portaient leur croix, gardant malgré tout une grande dignité.

1. *La coucoune* : Désigne le sexe de la femme. A une belle carrière littéraire devant elle.

2. *Mi viann' la ou inmè la !* : Voici la viande que tu aimes tant !

En fin de journée, la tête pleine de confidences, de secrets, de dits et de non-dits, le docteur Titon, du haut du Morne-l'Hôpital, aimait à contempler sa ville.

Elle s'étalait à ses pieds dans un désordre de tôles rouillées inlassablement reclouées après chaque cyclone. La géométrie des cases, disposées en dominos indisciplinés sur une table bancale, organisait un enchevêtrement sillonné par un labyrinthe complexe troué de clairières délaissées où dormait pour l'éternité un amas d'objets inutiles.

Étrange ville, d'où s'échappait le cou de girafe de la cathédrale, la récente audace de la tour Massabielle et la barre austère de l'École Normale primaire regardant de haut l'immeuble des fonctionnaires et l'assainissement.

Elle avait pourtant ses coquetteries. D'élégants balcons en fer forgé, les frises délicates comme des dentelles, des chapelles fleuries disséminées dans les coins et recoins de sa foi et des intérieurs tournés vers les regards pour partager avec les passants la solennité d'une horloge, l'aboiement figé d'un chien en faïence ou la blancheur immaculée d'un frigidaire. Et puis, rassemblant l'attelage des rues, la place de la Victoire dressant, face à la darse, l'armée des sabliers. Elle préservait, dans l'espace d'un ancien champ de tir, les cicatrices de l'histoire et les cancans du présent. Elle offrait l'hospitalité à toutes les réjouissances publiques et à tous les touristes que lâchaient les paquebots qui étouffaient l'horizon de la ville. Et puis tout autour de cette place, de hautes figures. La Renaissance, ancienne écurie, transformée en ciné-théâtre, salle de toutes les mondanités et de tous les grands spectacles. Elle garde mémoire des matches de boxe, des bals du Mardi gras, des bals titanes où Vovonne faisait merveille. L'on s'y précipitait pour l'homme et l'enfant avec Eddie Constantine, la troupe de Jean Gosselin ou Orlando Contreras.

Le bar de Mme Adeline, l'immeuble de l'évêché, la sous-préfecture…

Cette ville-là, le docteur Titon l'avait dans la peau et le regard qu'il lui donnait en fin de journée était comme un baiser filial.

Pourtant que de drames s'y jouaient ! Que de destins s'y entrecroisaient parmi le ballet des marchandes, la ronde des triporteurs, les duels des achalandeurs, la raideur des « gros » fonctionnaires.

Toujours, elle avait engrossé des peurs paniques vécues avec une délectation morbide.

Peur des zombies, peur des nègres marrons, peur du quimbois, peur des curés, peur de sa propre peur, peur de l'Homme-au-Bâton !

L'Homme-au-Bâton emplissait l'imagination des femmes. Il faisait rêver certaines mulâtresses des bourgs qui, trop fières de leur peau claire, avaient découragé tous les prétendants — trop foncés à leur gré — et qui finissaient par voir les années ternir leur teint, chiffonner leur visage dans une attente stérile et surannée.

Rosette, héritière au bourg du Lamentin d'une maison haute et basse[1] où se trouvait, au rez-de-chaussée, un commerce vieillissant, femme dévote et chaste, élevée dans le mépris de la chair et de la fornication, dut avouer à son confesseur, après bien des circonvolutions, des périphrases et toutes sortes d'acrobaties verbales, accompagnées de rougeurs, qu'elle prenait des bains de siège depuis cette histoire d'Homme-au-Bâton car elle aussi était « visitée ».

1. *Maison haute et basse* : Maison à étage dans le parler populaire.

Et voici comment les choses se passaient.

Après une journée au cours de laquelle elle avait remué de la morue salée et des queues de cochon, servi des roquilles de rhum, des quarts-de-livre de saindoux, vendu des cigarettes au détail — trois pour cinquante francs —, des demi-litres de Bayrum et des demi-quarts de livre de beurre rouge, tout en feignant d'ignorer les provocations de ses pratiques — comment Rosette à ton âge tu n'as pas encore trouvé un homme pour te secouer ? —, Rosette se barricadait dans sa chambre, à l'étage, se lavait à grande eau pour se défaire de la sueur des nègres, se frottait avec de l'eau de Cologne en chantant — « eau de Cologne, rimed a vyé fanm[1] ! » —, allumait sa bougie pour chasser les esprits, enfilait sa robe de nuit, coiffait ses longs cheveux et s'allongeait sur son lit avec la jubilation d'un pêcheur qui soulève sa nasse. Alors elle ouvrait sa bible et commençait à lire le Cantique des Cantiques.

Et c'était toujours le même voyage !

Au fur et à mesure qu'elle lisait son sang s'échauffait, sa poitrine se soulevait comme une mer déchaînée et son imagination partait à la dérive.

Son corps flottait dans une mangrove et des crabes accouraient de partout pour la dévorer. Simplement au lieu d'avoir des pinces, des

1. *Eau de Cologne, rimed a vyé fanm* : Eau de Cologne remède de vieilles filles.

mordants, ils brandissaient d'énormes ce-que-Dieu-donne-aux-hommes-à-la-naissance de toutes les dimensions, de toutes les formes et de toutes les couleurs. Assaillie de toutes parts, elle avait peur, mais son corps ne lui obéissait plus. Il subissait.

Les crabes la harponnaient de partout et son corps n'était plus qu'une ruche où chaque alvéole serait devenu un ce-que-Dieu-a-donné-à-la-femme-à-sa-naissance en chaleur.

Son cerveau tourbillonnait, emporté dans une débâcle incontrôlable. De partout en elle sortait une jouissance qui faisait bouillir les eaux de la mangrove, libérant, avec les cris, des milliers de bulles transportées par le vent et qui explosaient au sommet des arbres. Venait toujours le moment où le roi des crabes s'approchait. Moment qu'elle redoutait le plus car le roi des crabes avait un bel organe noir et luisant comme une sculpture d'ébène. Moment qu'elle attendait le plus, car le roi des crabes, plus gros que les autres, revenait inlassablement à la charge. Elle ne savait plus où était la bouche de son plaisir, tant elle avalait non seulement le roi des crabes mais toutes les brindilles, toutes les branches, tous les poissons, toutes les créatures de la mangrove telle une arche de Noé.

C'était un grand moment d'extase et d'illumination qui faisait décoller son corps et le déposait tremblant et frissonnant sur le dos des nuages.

Alors, elle redescendait sur terre et découvrait avec surprise sa chambre telle qu'elle était, méticuleusement rangée, vide d'odeurs d'homme, sage et triste et elle se demandait pourquoi elle avait planté une bougie au beau mitan de son corps de mulâtresse délaissée...

Longtemps nous avons cru que l'Homme-au-Bâton ne s'attaquait qu'à nos vieilles carcasses de négresses bleues sous le soleil. Nous le traquions aux quatre coins du pays, dans les grottes de l'Anse-Bertrand, sous le feuillage de la Soufrière et même le souffle des alizés cherchait avec nous, dans l'invisible, les traces, les signes qui nous eussent permis de définir les contours de son âme maudite.

Bien sûr, nos recherches demeurèrent vaines et nous ne voyions de lui que les manifestations sournoises qu'il plantait au cœur de nos vies comme des graines de malédiction.

L'inspecteur Rigobert, errant dans sa retraite d'homme déchu, demeurait possédé par son idée fixe : celle de l'Homme-au-Bâton qu'il voyait surgir derrière chaque rayon de soleil ou, à chaque pas, de l'ombre. Parfois, il sortait de son trou de campagne et il parcourait la ville, la tête à demi fêlée, en délirant la journée entière.

Les gens le plaignaient, le prenaient en pitié,

mais ses propos étaient devenus tellement extravagants que la jeunesse de la ville ne se gênait plus pour en faire un objet de risée.

Elle le suivait dans ses déambulations, le harcelait avec des quolibets et parfois même allait jusqu'à tirer avec insolence les pans d'une veste couleur madras qui ne le quittait plus.

Il était devenu dans la folie de la ville une folie encore plus grande qu'emprisonnait son regard halluciné et que libéraient ses vociférations. Seule Vovonne éprouvait pour lui une réelle compassion mais Rigobert était déjà bien au-delà de tout cela.

Ses successeurs avaient multiplié les interrogatoires, relevé des empreintes, jeté sur la ville, tard dans la nuit, le filet de leurs rondes et toujours ils revenaient bredouilles, concombres sans graines ! Pour tout bagage, ils n'avaient que quelques ivrognes passés de l'autre côté de la raison ou quelques bagarreurs qui avaient toujours mis dans leurs poings le poids de la vie.

Le père Blanc n'en pouvait plus. Il était sans arrêt sollicité pour bénir des maisons avec une insistance toute particulière pour les chambres à coucher. On lui dérobait ses hosties et jamais son bénitier ne pouvait garder une goutte d'eau. Un jour, il vit s'envoler sa soutane qui séchait dévotement derrière le presbytère. Elle ne fut pas longue à trouver puisqu'elle traversa tout le bourg de Capesterre sur le dos de Ti-Açon qui se livrait au vu de tous à des semblants d'exorcisme.

Les gendarmes de la commune, après l'avoir arrêté, crurent comprendre, malgré son charabia, ses bredouillements, qu'il était tombé amoureux d'une jeune métisse indienne qu'on disait la fille du curé et qu'il croyait par ce moyen éloigner d'elle la menace de l'Homme-au-Bâton. Il fut relâché mais il garda toute sa vie le surnom de père Savane.

Même les morts dans leur cimetière furent dérangés, invoqués pour prendre part aux démêlés des vivants !

Beaucoup de gestes-macaques eurent lieu dans les quatre-chemins sans pour autant tarir la source de la peur. C'est à ce moment-là que Carani, Syrien, bien connu sur la place, eut la géniale idée de proposer à sa clientèle féminine la culotte magique comme seule protection efficace. Il n'y avait, assurait-il, que le mari pour pouvoir l'enlever…

En fait Carani ne fit aucune publicité. Il appela Simone, une grande négresse dont il avait usé le corps sous des étreintes aussi clandestines que passionnées en totale contradiction avec son apparente placidité et son regard figé d'homme cupide. Il lui recommanda de faire courir le bruit qu'il avait reçu, en provenance d'Haïti, terre-mère des sortilèges, un stock de culottes invisibles dont l'effet était de contrarier les appétits démoniaques de l'Homme-au-Bâton.

Simone, dévouée servante de son seigneur et maître dont elle avait eu une flopée d'albinos aux yeux roses, prit un panier et s'en fut au marché.

D'abord, elle flâna en personne indécise, peu satisfaite par les étalages et les amoncellements de fruits et de racines. Puis elle commença à palper une orange par-ci, une igname par-là, à renifler un paquet de vanille ou de cannelle, à goûter une tranche de pastèque, une mandarine avant de boire un coco à l'eau bien frais.

À chaque étape, elle orientait habilement la conversation sur l'Homme-au-Bâton, le scélérat ! Elle discutait des parades possibles et feignaient de les trouver toutes peu sûres, et mine de rien, avec des airs faussement complices, elle livrait le secret de la culotte invisible dont le succès était garanti contre les dévergondages du bandit.

Il suffit parfois d'une toute petite étincelle pour donner naissance à un bel incendie ! La parole de Simone, semée sur le terrain fertile des oreilles, poussa aussi loin que les jambes des marchandes. Et Dieu seul sait si les marchandes vont loin ! Le pollen des mots voyagea avec le vent et tout le monde sait que chez nous les secrets détestent les frigidaires !

En revenant du marché, les bonnes chuchotaient la chose à leur patronne. Dans les transports en commun l'effervescence s'empara des commères et à la campagne tout fut dit en un rien de temps. Une parole comme ça c'était du bouillon pour les malades ! On prenait garde toutefois d'en parler devant les maris ou les concubins, toujours trop pressés de prendre un bâton !

Carani fut littéralement envahi, dès l'ouverture, par une cohue de femmes très injurieuses, très batailleuses et très railleuses. Comme il n'était pas question de procéder à des essayages, Carani déposa sur le trottoir des piles de boîtes vides qui furent prises d'assaut.

Les femmes n'achetaient plus, elles charroyaient, elles enlevaient par dix, par douze, soucieuses de protéger aussi une voisine, une amie, une parente et surtout leurs filles.

Devant pareille frénésie, Carani, tournant les bras comme des moulinets, empochait, empochait, empochait. Messieurs et dames, quelle affaire ! Il avait trouvé le filon !

À la fin, après moult empoignades, beaucoup de coups de griffes et de nombreuses morsures provoquées par l'énervement et la peur de n'être pas servies, les femmes refluèrent et partirent rejoindre leur case.

Pour invisible, la culotte de Carani était invisible !

C'est ce que constatèrent de nombreux maris et concubins qui avaient beau ouvrir des yeux grands comme l'horloge du Lamentin et qui ne voyaient rien d'autre que de très visibles mandolines, pulpeuses à souhait.

Ils demeuraient incrédules mais comment démentir des femmes si farouchement déterminées qui ouvraient avec un mystérieux cérémonial des boîtes vides et s'en allaient derrière un paravent ou dans un coin quelconque et s'en revenaient, robes relevées, exhiber leur protection.

Beaucoup de maris qui depuis longtemps n'avaient pas vu la nudité de leur compagne retrouvèrent une vigueur inhabituelle. Cela redoubla le succès de la marchandise et poussa Carani à augmenter ses prix.

L'on sortit des Saintes, de la Désirade, de Marie-Galante pour acheter la culotte invisible et Carani, dépassé par le succès, eut à cœur de remercier Simone en lui offrant un énorme collier « grain d'or » qu'elle convoitait depuis longtemps.

Et comme dit comme fait, les agressions cessèrent durant plusieurs mois. La vie, longtemps recroquevillée sous l'écale de la peur, profita de cette accalmie pour prendre l'air.

Les femmes jetèrent le masque de l'angoisse et découvrirent leur vrai visage : celui de la joie de vivre et des épreuves surmontées. Les jours s'allongèrent et les grand-mères sortirent de leur mémoire les plus beaux contes pour fêter le retour de la vie. Les ventres s'arrondissaient donnant aux regards une expression de fierté calme et sereine.

Le mois de mai arriva et fit danser les jupons rouges des flamboyants dans les bras du vent. Les rivières ronronnaient comme des chattes sous la langue du soleil et la musique crépitait dans les radios et saoulait les corps. Tout le monde fredonnait les chansons à la mode, les unes plus coquines que les autres. *Emanyel rozé jadin la*[1] *! An ka santi an ka houmba*[2] *!* Une étrange danse brûlait les reins de la jeunesse : le houlaoup et toutes les cours d'école remuaient au rythme des cerceaux.

La brise était bonne pour faire descendre le rhum et monter les cerfs-volants. La ville dégourdissait ses membres et s'offrait un grand bain-démarré pour repartir d'un bon pied. Un bateau de Méricains avait « houmba » les cœurs et les corps en laissant derrière lui une bonne cinquantaine de mulâtres et de mulâtresses qui avaient échappé à la malédiction de la peau noire...

La vie était revenue boire dans les eaux troubles des passions humaines et si ce n'étaient quelques femmes honteuses on plongeait dans l'oubli de l'Homme-au-Bâton et de ses crimes.

Mais la vie ne se laisse pas faire comme ça ! Quand elle a décidé de mettre une bonne grattelle sur la peau des nègres, il faut qu'elle aille jusqu'au bout. Alors elle invente, elle imagine, elle improvise et sa scélératesse est sans fond ! Fouink !

Ce fut Ti-Saint-Louis qui s'aperçut le premier

1. *Emanyel rozé jadin la !* : « Emmanuel arrosez le jardin. » (Titre d'une chanson à double sens.)

2. *An ka santi an ka houmba :* « Je sens que je m'envole. » Refrain d'une chanson de Daniel Forestal évoquant l'escale d'un paquebot rempli d'Américains qui découvrirent les délices des Guadeloupéennes au point de laisser après leur passage une volée de femmes enceintes.

qu'au lieu de faire un bon trois-heures de l'après-midi ou même un neuf-heures-moins-le-quart si l'on préfère, il n'obtenait qu'un lamentable six-heures-et-demie. Pourtant, bon Dieu, il avait déjà fait ses preuves ! Largement ! Très largement !

Vingt-cinq enfants avec cinq femmes différentes, quand même ça veut dire quelque chose ! C'est au moins la preuve qu'on est bon laboureur, fécond semeur ! Pour la récolte c'était autre chose ! Si Dieu avait voulu que les hommes élevassent les ti-mounes, il les aurait plantés dans le ventre des hommes ! Or ce n'était pas le cas ! Jamais Ti-Saint-Louis n'avait vu d'homme enceint, excepté durant le carnaval où toutes les simagrées sont permises. Mais en temps normal, ça non !

C'est pas pour tout dire mais Ti-Saint-Louis avait un sérieux problème.

Le genre de problème qui ne vous donne plus envie de toucher à un canot, de remailler un filet pour la traîne, ou de mettre un gros orteil dans un pitt à coqs. Le genre de problème qui vous donne une tête grise et chargée de questions, qui vous rend absent, loin de la vie et des vivants et qui peut vous faire maigrir des tempes.

Au début, sa compagne de la Dominique avait pris cela pour une fatigue passagère due à une remontée du rhum dans le sang.

Comme d'habitude elle s'était lavée dans une grande bassine en zinc avec des « choua !

choua ! » qui prouvaient que depuis longtemps elle n'était plus jeune fille mais une femme sûre de ses moyens et de ses arguments. Et puis elle s'était essuyée avec une serviette bien propre car elle avait le bas susceptible. Et puis elle s'était parfumée à l'eau de Cologne à laquelle elle avait ajouté trois gouttes de plus-fort-que-l'homme plus un peu d'eau de santal. Et puis elle s'était allongée sur le lit, ne gardant que sa culotte invisible en attendant Ti-Saint-Louis son homme préféré.

Ti-Saint-Louis, lui-même, son heure venue pour « aller prendre un bol d'air », juste un petit tourner-virer, sortait un drill[1] bien empesé, un casque colonial bien blanc et faisait le tour du quartier avant de revenir avec des ruses de mangouste vers la porte de derrière de sa voisine préférée.

À la limite on se demandait pourquoi il prenait ou faisait semblant de prendre tant de précautions puisque sa légitime, en l'occurrence Anita, n'était pas dupe et que tout le quartier savait.

En fait Ti-Saint-Louis voulait sauver son honneur à lui !

Il signifiait ainsi à tout le monde qu'il n'était pas l'homme d'un manger-cochon et qu'il faisait ses affaires à la manière d'un grand-homme respectable. Si bien que tout le monde entrait dans son jeu et lui faisait la faveur de croire à sa

1. *Drill* : Tissu assez épais qui sert à faire les vêtements.

prétendue promenade. Seule l'intonation sonnait avec une pointe d'ironie quand Sam Dopie lui lançait : « Oh konpè ! ou ka fè on ti tounévirérnbsp;[1] ! » et il répondait avec sérieux : « Mais oui ! il faut que le sang circule un peu ! Tu sais mon pied !

— Pa tropp konpè ! pas tropp[2] ! » rétorquait le faux complice en laissant sous-entendre que souvent le sang nous charrie dans des contrées par trop dangereuses.

Mais tout ça n'était qu'une forme de jeu, un rituel pour que les actions des hommes ne soient pas pure folie sur une île dont la tête était fêlée par un volcan.

On a beau dire ! On a beau dire ! Ti-Saint-Louis ne pensait qu'à son Amandine, douce à ses yeux comme un champ de cannes B.H.[3] sucrées à point pour la récolte.

Et Amandine savait qu'un homme « prêté » avait besoin de plus de douceurs. Alors elle sortait le grand jeu. Le roi de cœur pour la douceur, l'as de trèfle pour la chance et l'atout maître pour que Ti-Saint-Louis se demandât si c'était bien son corps à lui qui voisinait avec les étoiles les plus lointaines.

Dès que Ti-Saint-Louis entendait le fameux « choua ! choua ! » que faisait l'eau dans la

1. *Ho konpè ! Ou ka fè on ti touné-viré !* : Oh Compère ! Tu fais une petite tournée !

2. *Pa tropp konpè ! Pas tropp !* : N'abuse pas compère ! N'abuse pas (pas trop).

3. *Cannes B.H.* : Variété de canne à sucre très prisée.

grotte d'amour, tout à côté de sa case, il traduisait : « Viens ! viens ! je t'attends ! Gertrude aussi ! » car ils avaient baptisé Gertrude cette grotte-là, sucrée comme un nid plein de tourments d'amour.

Il venait après un long détour, poussait la porte et entrait.

Il ne faut pas croire qu'il se répandait en paroles. Ils avaient déjà dépassé ce stade. Les paroles c'était pour ses amis, Sam Dopie, Rosan et autres. Là, tout était dit en silence. Un silence qu'Amandine savait entendre. La façon de se gratter la tête après avoir déposé le casque sur la table. La manière d'enlever les chaussures. Le fait de boire de l'eau en ayant l'air de téter le verre.

Tous les gestes avaient un sens et Amandine répondait par sa mise en scène à elle. Elle se frottait les pieds, ou bien elle faisait semblant de dormir, ou bien elle disposait ses vêtements d'une certaine façon dans la chambre. Par exemple, elle n'aurait jamais dit « j'ai mes règles » mais elle déposerait sur la table, bien en évidence, un numéro de *L'Étincelle.*

Évidemment, de temps en temps, surtout si elle était encolérée, elle compliquait la communication en inventant un nouveau code. Pour dire « ta femme m'a invectivée ! » elle avait préparé un bon plat de morue salée en ajoutant simplement : « Je sais que tu aimes beaucoup les morues salées. » Point c'est tout !

Le lendemain Ti-Saint-Louis était arrivé avec

un vivaneau bien frais et pour prouver qu'elle avait compris le message elle avait fait des dièses au lit, des gammes et de véritables prouesses musicales avec la guitare de ses hanches.

Mais après ce soir-là, elle avait senti Ti-Saint-Louis tout gêné, pourtant ses yeux vomissaient un trop-plein de désir suscité par la culotte invisible.

Il s'était couché à côté d'elle mais il regardait le plafond comme quelqu'un qui attend un message d'en haut. Il ne bougeait pas, simplement il avait déposé sa main sur sa grotte d'amour comme pour bien s'assurer qu'elle était bien là et nulle part ailleurs. Il ne disait rien mais sa respiration trahissait une contrariété.

Elle lui donna quelques petits coups de coude dans les côtes pour lui faire comprendre qu'elle était prête. Il resta froid comme le front d'un mort. Alors elle le laissa se refaire et elle attendit. Rien ! Elle entreprit de passer sa main sur sa corne de rhinocéros et qu'est-ce qu'elle toucha ? Un escargot ! Pour de vrai, un escargot. Elle le regarda et elle vit sur ses joues les traces luisantes de l'escargot. Il pleurait en silence...

En grande femme qui n'était plus une jeune fille, mais une femme sûre de ses moyens et de ses arguments, habituée à interpréter les contenus des divers silences, elle comprit et elle fut pleine de compassion pour sa souffrance.

Il est dur pour un laboureur, père de vingt-cinq rejetons avec cinq femmes différentes, de ne pouvoir marquer qu'un lamentable six-heures-et-demie avec un escargot tout flétri de honte et tout écrasé par son impuissance. Où avait disparu la corne de rhinocéros ?

Amandine n'insista pas, elle se leva, enfila une chemise de nuit brodée. Façon de dire : « Ça ne fait rien ! Ça ira mieux la prochaine fois ! » et elle entreprit de lui faire un thé revigorant. Ils le dégustèrent côte à côte en écoutant mourir les derniers bruits du quartier.

Ti-Saint-Louis disparut durant sept jours pour trouver remède à sa maladie.

Il est des sujets qu'on ne peut mettre sur la voie publique ! Surtout en Guadeloupe ! Car en un rien de temps, ils se mettent à courir comme des poux et ils montent et descendent de Pointe-à-Pitre à Basse-Terre, de Basse-Terre à l'Anse-Bertrand avant d'aller s'enterrer dans les profondeurs de la campagne. Sept jours plus tard il était revenu avec le même escargot plein de honte et d'impuissance...

Cependant la corne de rhinocéros se dressait bien, bien même pour Anita... C'était là tout le mystère qui fendait le crâne de Ti-Saint-Louis...

Pour Anita, corne de rhinocéros et pour Amandine escargot. Kamafouti ésa[1] ?

Amandine avait beau pétrir le corps de Ti-Saint-Louis, le masser, mélanger à la boisson ou

1. *Kimafouti ésa ?* : Qu'est-ce que c'est que cette foutue histoire ?

aux plats des ingrédients indignes d'une chrétienne, réciter des prières très païennes, rien n'y faisait !

Ti-Saint-Louis restait dans ses bras comme une pieuvre molle juste bonne à coller ses ventouses sur votre peau mais sans rien de consistant pour nourrir et satisfaire Gertrude.

Ti-Saint-Louis lui-même, en désespoir de cause, s'était résigné à aller confier son tourment à un médecin mais ce dernier après lui avoir prescrit des fortifiants lui avait fait comprendre : que primo si ça marchait avec Anita, sa légitime, c'est qu'il n'avait rien de grave ; que deuxio son corps refusait Amandine pour une raison inconsciente (ka ki inconsciente, doctè[1] ?) ; et que tertio les choses étaient dans les normes établies par la société (mais doctè j'ai quittè instituteur pour fuir les « normes » !). Tout cela faisait beaucoup de paroles, un paquet d'argent et rien n'était résolu !

Quant à Anita, elle revivait ! Elle était sortie du trou sombre où l'avait plongée l'infidélité de son homme pour émerger en étoile lumineuse et triomphante.

Malgré ses propres débordements elle aimait Ti-Saint-Louis et souffrait de son manque d'attention pour elle. Maintenant, elle chantait du matin au soir en balayant, en faisant la vaisselle, en lavant son linge et elle courait dans tout le

1. *Ka ki inconsciente doctè !* : Que signifie « inconsciente », docteur ?

quartier pour exhiber son bien-être, son « retour de manivelle » comme elle disait avec son accent de la Dominique.

Il y a de ces lueurs dans les yeux qui sont la signature du bonheur. Il y a de ces ondulations du corps qui laissent deviner une plénitude, une ivresse, une sorte de tango des sens. Il y a des coquetteries soudaines qui sonnent plus fort que toutes les conques des pêcheurs et qui sont des annonciades.

Anita était tout cela à la fois tandis qu'Amandine, au contraire, se flétrissait, prenait une vieille couleur de fleur fanée et n'émettait plus qu'un rire douloureux et rouillé de femme aigrie.

Croyant toujours entendre une moquerie, son orgueil la rendait susceptible et agressive. Son être sculpté dans la douceur moirée du mahogani avait maintenant la sécheresse du bois-campêche. Ti-Saint-Louis vivait péniblement ses brusques flambées d'irritation, ses fausses prévenances et sa nouvelle manie d'enlaidir tout le merveilleux de la vie. Il en vint à raréfier ses allées et venues et à offrir à Anita une quasi-exclusivité qu'elle n'espérait plus.

Un soir on vit Amandine, derrière le comptoir d'un bar, astiquant son gosier avec des secs de professionnels, faire rire toute l'assistance avec les menus détails de l'escargot de Ti-Saint-Louis.

« Une femme comme moi, hein ! On ne vient pas chez elle pour secouer sur son ventre une poussière d'escargot nain ! Ah ça non ! mwen ni twop répondan[1]! Alors je l'ai foutu à la porte! Dewo! Mach[2]!

Les buveurs n'en pouvaient plus de rire, tout en incitant Amandine à faire et à refaire des gestes obscènes. Messieurs et dames, quel cinéma! Tout un chacun se proposait de prendre la succession de l'infortuné en redoublant de saletés crues et nul n'oubliera le moment où Amandine, déjà titubante au sommet de la pyramide de rhum, exhiba Gertrude comme une bête de foire en invitant tous les clients, s'ils étaient des hommes vrais, à mettre sur la table ce qu'ils avaient entre les deux jambes.

C'est à ce moment-là qu'un des fils de Ti-Saint-Louis lui prit la main avec une telle douceur qu'il stoppa net tous les rires et lui proposa de la raccompagner chez elle. Amandine se raidit comme une reine d'Égypte, prit le bras qu'on lui offrait et quitta le bar dans un silence plein de remords et de honte...

Ti-Saint-Louis, las de porter un secret aussi lourd, prenait le frais sur un banc-fainéant de la place de la Victoire. Un inconnu s'assit à côté de lui.

C'était un homme qui venait de loin et qui avait beaucoup marché car, sans se gêner le moins du monde, il ôta ses grosses bottes de

1. *Mwen ni twop répondan!* : J'ai trop de répondant!
2. *Dewo! Mach!* : Dehors! Marche! (pour faire déguerpir un chien avec mépris),

moune-bitation[1] et commença à masser ses pieds endoloris. Il avait l'odeur de ceux qui dorment à la belle étoile et qui se lavent dans les fontaines ou les rivières.

Ses mains tremblaient légèrement et son regard semblait fuir une souffrance obstinément accrochée à ses entrailles.

Les gens passaient et repassaient devant eux sans les voir. Pressés d'aller prendre un transport en commun ou d'aller faire des courses dans le ventre de la ville. Les sabliers, par à-coups, embrassaient le vent avec des bruits de fritures et le soleil las de tenir midi dans ses griffes commençait à lâcher prise. On voyait au loin la bousculade quotidienne des passagers sur les quais de la darse car la *Margie* barrissait pour annoncer son proche départ.

Soudain l'homme commença à parler... Il parlait comme s'il s'adressait à un interlocuteur invisible et de temps à autre, il plantait ses yeux dans ceux de Ti-Saint-Louis.

« Il y a des espèces de choses qui arrivent dans la vie d'un homme que lui-même ne comprend pas ! Est-ce que tu peux me dire hein ! Une tite-femme dont j'avais l'habitude de déchirer le ouistiti. Ah oui, sans mentir, pour ça elle était la douceur même ! hanhan ! C'est pas pour dire qu'elle était belle mais son corps m'allait bien. Nous faisions nos tites-affaires velours-velours ! Eh bien je l'ai tuée, froide, raide morte ! Ouais !

1. *Moune-bitation* : Les gens de l'habitation.

Je l'ai tuée. Je ne voulais pas mais c'est comme qui dirait j'ai perdu la tête... »

L'homme demeura silencieux tandis que Ti-Saint-Louis attendait la suite. Son instinct de vieux nègre bourlingueur lui disait que cet homme était très proche de sa propre détresse.

« Avant ça, j'avais perdu autre chose... Tu me comprends compère ? Un bougre comme moi qui, c'est pas une blague, pouvait lui donner satis et satis ! Et voilà que depuis cette affaire de culotte invisible, chouval an mwen pa ka monté mon' anco[1] ! J'ai porté les manœuvres les plus terribles ! Des manœuvres d'homme courageux aux abois. Awa ! Sé monté chouval pa vlé monté[2] ! Et le plus extraordinaire ! Le plus extraordinaire ! Attention ! Sé kè sel mon' i ka monté sé do mandolin' a madanm an mwen ! Kimafouti ésa[3] ! J'ai essayé en caterpillar, en neg-mawon, en doucelette rose, rien ! Awa ! Alors quand j'ai compris qu'une jeune oiselle comme ça n'allait pas rester sans son velours-velours, alors je l'ai tuée. Et depuis je suis poursuivi par ma conscience ! Mon Dieu pardonnez-moi ! Son corps m'allait si bien ! »

Au début Ti-Saint-Louis avait cru avoir affaire

1. *Chouval an mwen pa ka monté mon' anco !* : Mon cheval ne peut plus grimper aucun morne.

2. *Awa ! Sé monté chouval pa vlé monté !* : Rien à faire, le cheval refuse obstinément de monter !

3. *Sé kè sel mon' i ka monté sé do mandolin' a madanm an mwen ! Kimafouti ésa !* : C'est que le seul morne qu'il consent à monter c'est celui de la mandoline de sa femme ! Que signifie, foutre, cela !

à un de ces nombreux fous que le rhum lâche dans les rues de Pointe-à-Pitre. Il écoutait tout raide en cherchant une occasion de partir. Mais lorsque l'autre commença à exposer son problème, il comprit que c'était cela qu'il était venu apprendre : la cause de son propre mal ! La culotte invisible ! Une épidémie d'escargots mous punissait les hommes à deux ou trois ménages ! Le Syrien l'avait dit : seul votre mari pourra l'enlever... C'était clair comme de l'eau de roche ! La culotte invisible !

Il posa des questions au malheureux criminel et lui fit répéter l'affaire de la culotte invisible. Et finalement, il avoua que lui-même connaissait mêmes tourments et montait le même chemin de croix !

À dater de ce jour, Ti-Saint-Louis accompagné de son collègue et de l'inséparable Sam Dopie mena, avec mille précautions, une enquête dans le quartier et auprès des transports en commun.

Dès qu'il apercevait un homme écrasé par une honte cachée, un homme dont les yeux avaient perdu toute assurance, un homme rongé par le doute, il l'abordait et le poussait à se confesser.

À cette époque on vit déambuler dans les rues de Pointe-à-Pitre des bandes d'hommes au regard éteint et à l'échine basse. Ils erraient dans les rues comme des chiens sans espérance. Ils se saoulaient jusqu'à rouler par terre en criant « malédiction ». Ils se regroupaient sur la place de la Victoire en triturant une même douleur. Ti-Saint-Louis était devenu leur chef et il tenait grand discours sous leurs regards hébétés. Ils ajoutèrent leur folie à la folie des jours et des nuits. Parcourant tous les léwoz qui enflammaient la campagne, faisant irruption dans les veillées mortuaires, grossissant les troupes des grévistes aux abords des usines, organisant des sauvé-vaillants et cassant tous les bals à coups de chaises, de bouteilles ou de pierres, recherchant désespérément leur rhinocéros perdu… ils parcouraient l'île comme des enragés preneurs de toute cause empuantie par l'injustice.

Maintenant c'était clair pour tous. La culotte invisible était une culotte de fidélité ! Elle rendait impuissant dès qu'on abordait une partenaire illégitime !

Messieurs et dames, chaque peuple a connu, connaît ou connaîtra ses calamités !

L'Inde a d'orageuses moussons qui noient les terres, les gens, le bétail sous une charge d'eau impitoyable et, pour tout dire, maudite !

L'Afrique connaît des invasions de sauterelles voraces, des nuages de sauterelles qu'on dirait envoyées par Dieu contre leurs pharaons !

L'Europe a ses guerres de religion, de soumission et de colonisation !

L'Amérique a ses révoltes raciales !

La Martinique, à peu de mer d'ici, a eu la montagne Pelée !

Nous-mêmes, nous-mêmes, nous avons nos cyclones avec leurs grosses mâchoires de vent fou !

Mais malgré ça ! On ne pouvait imaginer une calamité comme ça ! Une culotte de fidélité ! Si encore ça ne marchait que pour les femmes — et encore, plus souvent que rarement une voisine mariée peut avoir pour toi une petite faiblesse et des parfois personne ne sait qui est le père de qui ! Nul ne sait ! — mais une culotte de fidélité qui empêche les hommes d'honorer leurs maîtresses ! Ah non ! Il n'y a plus qu'à décréter la fin du monde !

Mais vous imaginez un peu, si tout le temps on est condamné à manger le même court-bouillon, le même calalou ! S'il faut se contenter de regarder sans jamais pouvoir manier ! S'il faut toujours dire : « Laissez passer, pas la peine ! » Alors que la Guadeloupe fournit sept fois plus de femmes que d'hommes !

Messieurs et dames, on ne va pas se résigner à vivre sans ça. Et d'abord comment ferions-nous pour savoir que nous sommes vraiment des hommes ? D'où tirerions-nous vanité, gloire et descendance ? À qui ferions-nous envie ?

Messieurs et dames, le tambour a deux faces mais il arrive qu'elles chantent la même musique. Tout ça c'est pour dire que les concubines étaient henrahées, elles aussi.

Misyé labé peut dire, peut dire, le péché, l'adultère, la Vierge Marie ! Tout ça est bien bel ! Mais c'était au temps de la Bible hou !

Tous ceux qui ont dit ça sont bien morts aujourd'hui et, nous, nous sommes là avec notre corps de femmes, avec nos ventres de femmes qui demandent la vie !

Nous sentons couler sur notre dos la sueur de la vie, le regard chaud des hommes et bien souventement ! Parfois, des jours de lassitude, nous aimons bien, après nous être trempées dans des feuillages frais et parfumés, savoir que la vie ruissellera de nos sources. L'haleine est chaude d'un homme en pleine chaleur ! Les mains du maçon, du charpentier, du professeur, du commerçant pétrissent bien l'amour que nous volons aux autres !

Voler ! Quel voler ? Qui parle de vol ? Les autres que savent-elles ?

À part jouer à Madame et profiter de tout le miel que nous mettons dans la moelle de « leur » Monsieur. Si nos corps vont ensemble, ce n'est pas crime et ce n'est pas charité ! Et que ferions-nous sans le secours d'une tendresse, même à cocagne ?

Qui mettrait une véranda devant nos cases et un ventre devant nos corps ? Et pourquoi nos hanches rouleraient-elles à vide sans la porcelaine lisse d'un homme qui a tant à donner et tant à prendre ? Le soleil se lève pour tout le monde et la vie est partage. Les haines sont inutiles, de celles qui se croient propriétaires car rien ne ressemble plus à un enfant qu'un autre enfant qu'on dit né-dehors. Non pas en dehors mais bien au-dedans de nous, par la même action de grâces et avec même espérance sur terre.

Nous mettons le rire sur les rides de l'habitude et nous avons aussi nos chagrins d'une couche qu'il quitte en pleine nuitée. Et puis nous sommes les ombres de votre sérénité et les tisons de votre jalousie. Comment sauriez-vous combien vous pouvez aimer ou haïr, sans notre présence à partager ? Et qui sait où va se loger l'amour, ni quel nid il préfère ? Nous savons nous ce que nous donnons et le prix de vos persécutions et votre devoir quotidien de haine envers nous qui vous pousse à aimer le mariage plus que le mari ! Nous sommes sans mari, nous sommes des puits de solitude troublés par la brise des fantômes.

Ils nous viennent comme des cristaux de fantasmes inutiles puisqu'ils n'ont pas la durée. Tout au plus parfois, ils nourrissent du regard leurs enfants quand ils ne veulent plus voir nos yeux. Nous nous consolons d'avoir donné au monde sa part de chants nocturnes et de forêts brûlées dans les terres du désir. Car ceux qui viennent à nous n'ont ni calculs, ni préjugés, c'est le chemin de leur cœur qui les amène jusqu'à nous comme des brindilles dans le bec de l'oiseau. À désir on nous appelle, à plaisir nous répondons et notre salaire c'est leur mauvaise conscience et votre aigreur.

Tant pis, s'il vous plaît, nous aussi nous réclamons fidélité comme l'amputé réclame une danse pour croire à la vie de ses jambes. Alors redonnez-nous nos hommes et leur vanité de nous posséder, leurs courses à la fécondité et leurs paroles que nous n'entendons pas car elles sont nées de notre corps.

Redonnez-nous nos hommes, nos miettes d'hommes. Nul n'ignore que le fond du canari se gratte pour le plaisir de la bouche...

Redonnez-nous nos hommes ! Comment, sans eux, saurions-nous ce qu'est la frustration et les délices de l'attente et la douleur de l'usufruit ?

Parfois nous perdons, parfois nous gagnons, mais peu importe, un royaume nous est donné pour les chevaux fous de notre sang et c'est dans leur démarche d'hommes faibles que nous nous sentons femmes.

Misyé labé peut dire ce qu'il veut sé kouto sel ki sav[1]...

1. *Sé kouto sel ki sav...* : Seul le couteau sait (ce qui se passe au cœur du giraumon qu'il coupe).

Inutile de dire que toute cette affaire de culotte invisible mettait la Guadeloupe en grand chavirement. Imaginez un peu toutes les abonnées abandonnées comme ça, wouap ! Tous les enfants qui ne voyaient plus leur père, sans compter ceux qui appelaient parrain ou ami leur vrai père ! Les marchandes qui vendaient moins puisque le nombre de personnes à gâter avait rétréci ! Les Syriens (sauf Carani) qui ne vendaient plus leurs tissus, car pour qui se faire belle ? Tristesse et désolation ! Seule la jeunesse, n'ayant pas encore devoir de fidélité, montait dans le cerf-volant de Typical-Combo[1] et houmbait sur la musique de Fanfan... ah mourir sur Fairness[1] !

Inutile de dire que ça ne pouvait plus durer et bon nombre envisageaient de prendre *Colombie* pour enjamber les eaux puisqu'il n'y avait ni

1. *Typical-Combo, Fairness* : Orchestres très populaires aux Antilles.

l'Homme-au-Bâton, ni culotte invisible contraignant à la fidélité au-delà des mers, en France... C'est ainsi qu'un jour Sam Dopie partit sans crier gare et envoya à Ti-Saint-Louis une carte postale de Pigalle...

Cependant avant son départ il eut le temps de déclencher la plus grande émeute de ce temps d'avant. Voici comment...

Chez nous, les colères gonflent comme des rivières et explosent comme des soufrières. D'abord quelques brindilles par-ci, par-là. Quelques fumerolles qui viennent en douce rôder dans l'air. Personne ne s'alarme vraiment pensant que la nature fait sa coquette et puis brusquement le cours des événements s'accélère. Ruisseau devient torrent éperonné par Maman Dlo, pluies de cendres deviennent trombes, après c'est furie, chiquetaille et déchoukage.

Or donc, à la rue Frébault, toujours tourmentée par son yen-yenage [1] de gens occupés à choisir, à acheter, à rarater de la langue entre les coups de marteaux des ressemeleurs, les agaceries des Syriens, les cris de Déterville en train de vendre ses journaux, les appels des marchandes de topinambours, survint sous le soleil un léger incident.

La Mercedes blanche d'un blanc-pays heurta une mobylette qui se frayait un passage dans le

1. *Yen-yenage* : Agglutinement. De *yen-yen* petites mouches qui s'agglutinent sur les fruits.

flot des voitures, des cabrouets, des diables et des triporteurs.

Le propriétaire de la mobylette n'était rien d'autre que notre Sam Dopie national. Les habitués le saluait d'un « l'animal sur la bête ! », vieille plaisanterie à laquelle il répondait par quelques jurons où il était question de chevaucher les mamans. Il étala toute sa petitesse sur la chaussée en hurlant comme un singe échaudé. Comme il transportait sur son porte-bagages un panier contenant des brassées de boudin, un litre de sang et quelques morceaux de viande, il offrait le spectacle d'un petit homme éventré dont les entrailles fumantes baignaient dans une mare de sang. Vision suffisamment repoussante pour commotionner quelques malheureuses trop sensibles et trop peu regardantes qui se mirent à crier : « Yo tiouyé Sam Dopie[1] ! » Là même, un attroupement d'esprits échauffés se forma.

Le blanc-pays ayant d'instinct la hantise d'une pareille situation ne savait trop quoi faire sinon blêmir et pousser des « tchip ! tchip ! » pour exprimer sa contrariété.

À coup sûr, il était coupable ! Il devait être coupable ! De toute façon, depuis sa naissance, tous les regards qui heurtaient sa peau tannée lui enfonçaient dans le crâne une insupportable mauvaise conscience et lui promettaient un châtiment expiatoire.

1. *Yo tiouyé Sam Dopie !* : Ils ont tué Sam Dopie !

Pourtant, il était du pays comme les autres! Il devait rassurer, se disculper et surtout convaincre de sa bonne foi, de son droit d'avoir un accident sans aller réveiller les morts de l'esclavage.

Au lieu de cela, il se tenait bien raide et suait en répétant comme un zombie : « Sé li ki vini jété ko ay asi loto la[1] ! »

Sam Dopie, maintenant silencieux, faisait le mort parmi une flaque de sang et des chiquetailles de viande. En fait il avait trop honte pour se relever. Une femme s'évanouit.

La foule jusque-là relativement calme commença à s'agiter et à proférer des menaces. Elle s'indignait contre la profitation du blanc sur un pauvre malheureux, nain de surcroît!

Il était évident pour tous que Sam Dopie était mort. La meilleure preuve étant ces tripes obscènes qui souillaient la rue. Et bien sûr, le blanc avait fait ça exprès parce que pour eux, un nègre « sé on po a zognon[2] », un moins que rien!

Le blanc, affolé, suant, expliquait obséquieusement que c'était un accident. Il guettait dans les yeux hostiles un regard de compréhension, de compassion. Toutes ces têtes noires qui l'entouraient, toutes ces mains qui gesticulaient le mettaient mal à l'aise.

C'est alors que Ti-Saint-Louis, alerté par

1. *Sé li ki vini jété ko ay asi loto la!*: C'est lui qui est venu se jeter contre la voiture!

2. *Un nègre sé on po a zognon* : Un nègre ne vaut pas plus cher qu'une pelure d'oignon.

radio bois-patate, suivi de sa bande d'escargots, fit une entrée tonitruante et interpellative.

« Alors Mésié, vous connaissez tous Sam Dopie, notre Sam Dopie à nous ! Et vous acceptez qu'un blanc vienne l'assassiner là, sous votre nez, en pleine rue Frébault, pour ainsi dire dans sa maison, sans réagir ! Vous n'êtes bon qu'à prendre des coups de pied ! »

Le blanc prit le parti de faire face. Pareil à un poisson dans une nasse, il savait qu'il devait donner le change et masquer sa peur.

De sa voix la plus autoritaire, la plus dure, la plus cinglante, il apostropha Ti-Saint-Louis.

« Dis donc, toi le vieux nègre, ferme ta gueule parce que tu n'étais pas là ! Tu n'as rien vu ! »

C'était donner à manger à la révolte de Ti-Saint-Louis qui errait depuis le matin à la recherche d'une bonne bagarre pour dégourdir ses muscles et apaiser son cerveau. Il mit toutes ses forces dans un premier coup de poing, suivi d'un magistral coup de pied. Le combat commença, acharné, furieux, sanglant. Ce n'était plus deux hommes qui s'affrontaient mais l'histoire qui réclamait son dû.

Deux orgueils aiguisés comme des zépons de coqs game.

Tandis que la rue s'enflammait et que la foule s'excitait, Sam Dopie, auquel personne ne prêtait plus attention, se leva discrètement et abandonnant son sang, sa viande et sa mobylette, s'évapora.

Un Syrien, craignant pour son magasin, menaça d'appeler la police. Mal lui en prit car du chœur des escargots une voix s'éleva :

« Voleurs ! non seulement vous êtes des voleurs mais en plus vous vendez des couillonnades de culotte invisible pour nous rendre impuissants ! »

Le Syrien éclata de rire devant tant de crédulité. Son rire fut fatal à toute la communauté. On se rua dans son local, on saccagea, on pilla, déclenchant ainsi une émeute mémorable.

Un vent de colère souffla sur toute la ville, arracha les devantures, éventra les stocks, malmena la police et profana tous les symboles.

On n'arrête pas le vent ! Le vent venait de loin. Des habitations où la peau des nègres servait de ciel ensanglanté pour les éclairs du fouet, du bateau négrier escorté par des requins trop heureux de l'aubaine d'une chair noire, de la première capture.

Le vent secouait les mémoires, défigurait les visages, tourmentait les cerveaux, propulsait les mains vers l'office de la violence.

Le feu avait pris d'abord dans les veines puis il était entré dans les magasins. Déjà les fusils circulaient au grand désespoir des forces de l'ordre débordées par de telles rafales de colère.

À la caserne de la Jaille, on désarma tous les nègres, tous les indiens, tous les métis et on lâcha les légionnaires. Il y eut du sang, des balles, des volées de conques.

Le vent chargeait et tout devenait fragile, dérisoire, voué aux destructions qui préparent l'avènement d'un monde nouveau.

Sam Dopie n'avait été qu'un prétexte vite oublié. Seul demeurait le vent de la haine et le désir de renverser la vapeur de la peur. Des rideaux métalliques se déchiraient sous la poussée du vent et le sang qui coulait n'avait point d'importance.

Et l'on dansa devant les cendres du magasin de Carani. Et l'on chanta, en emportant à pleines brassées des piles de chemises, de shorts, de pantalons qui longtemps après gardèrent le nom de « flammes » en souvenir de cette bourrasque vomie par les culottes invisibles, éphémères protectrices des vertus.

Le troisième jour, le maire revêtit son écharpe et fort de son autorité tricolore tenta de ramener le calme mais son apparition ne fit que raviver le ressentiment contre les nègres-à-blancs !

Le vent changea de sens. Ce qui était exaspération devant la morgue des blancs et la duperie des Syriens devint une croisade vengeresse contre les riches de tous bords, de tous poils, de toutes couleurs.

On immola des Mercedes, on sacrifia quelques chiens de race, on bastonna des bourgeois en les obligeant à parler en créole et l'on jeta à la darse des vitrines pleines de bijoux.

Puis, le vent faiblit de lui-même, ne laissant

dans son sillage que de pauvres soubresauts comme une bête à l'agonie. Tout s'éteignit, laissant place aux patrouilles des forces de l'ordre chargées de restaurer le vieux principe de la peur du blanc...

Les langues toujours à l'affût d'une légende à polir astiquèrent ces jours d'émeute populaire pour éblouir la mémoire.

Et chacun réclamait sa part d'héroïsme personnel. Sam Dopie, lui-même, s'auréolait de la gloire d'avoir donné le signal du soulèvement. Ti-Saint-Louis, en familier de l'exploit, racontait sa bagarre en y ajoutant les dorures de l'épopée. Il épatait l'auditoire avec des Roland de Roncevaux, des chevaliers Bayard, des Jeanne d'Arc oubliés sur les bancs de l'école et ressuscités dans les vapeurs du rhum. Tous les hommes se réjouissaient de la disparition du magasin de Carani. La culotte invisible avait fait son temps, laissant place au commerce hypocrite des amours adultérines.

À nouveau les épouses replongèrent dans le bain des souffrances muettes et les maîtresses retrouvèrent leur arrogance. La vie reprit son cours en dépit de quelques arrestations qui servirent d'alibi aux autorités pour dénoncer la subversion.

À nouveau les dames Gabrielle[1] reprirent leurs querelles au sortir des bals titanes. Le vent

1. *Dames Gabrielle*: Femmes en costume haut en couleur, parées de bijoux.

de la révolte était bien mort et il ne restait de son passage que des vêtements rescapés des flammes toujours assez bons pour couvrir le dos des malheureux.

Lisa était bien loin de toute cette agitation. Sa mère l'avait expédiée aux Plaines, du côté de Pointe-Noire, persuadée que l'Homme-au-Bâton n'irait pas s'aventurer dans ce trou perdu juste bon à abriter les meilleurs ébénistes de la Guadeloupe dans des ateliers sombres et sales où les meubles brillaient et sentaient bon le vernis. Mais elle savait aussi que la rencontre des alizés avec les courants d'air frais qui descendaient de la montagne ne pouvait que revigorer le corps déchiré de sa fille

Lisa passait là des jours paisibles en compagnie de sa grand-mère Nannine.

Nannine l'avait consolée, soutenue, soignée avec force frictions, bains de feuillage et toutes sortes de remèdes qui ne sont pas dans les pharmacies de la ville. Nannine l'avait également égayée en lui racontant comment les hommes prenaient la trace des contrebandiers, dormant parfois dans les cercueils des ébénistes qui travaillaient dans les bois de la Traversée. Comment, lors de l'éruption de la montagne Pelée en Martinique, les cendres avaient noirci jusqu'en Guadeloupe les feuilles de malangas. Comment sa grand-mère, alors âgée de cinq ans, avait appris qu'elle ne serait plus esclave. Comment elle-même Nannine avait toute sa vie trimé, dès le chant du coq, dans les champs de cannes comme amarreuse, récoltant deux enfants avant que son mari Réache, un charpentier de grande taille et de grande pointure, ne l'épouse. Nannine avait vu toutes les couleurs de la misère en temps Saurin[1] et elle avait traversé toutes les embuscades de la vie avec malice et bonne humeur et elle avait encore des mains pour donner et un cœur pour aimer.

Lisa avait fait corps avec les Plaines, avec les bois, avec la rivière, avec la case de Nannine. Son ventre poussait avec les jours et malgré les lourdeurs et les douleurs elle se sentait bien là. Loin du lycée, loin de la ville et des commérages de la rue Vatable. Cependant chaque fois que des nouvelles de l'Homme-au-Bâton lui parvenaient, elle songeait à ce plaisir interdit qui l'avait faite mère. Lorsqu'elle voyait ses yeux s'assombrir, Nannine la réconfortait. « Ne pleure pas petite fille, pas pléré, économise tes larmes. La vie prend tous les chemins. Elle a pris pour toi le chemin de l'Homme-au-Bâton.

1. *Saurin* : Gouverneur de la Guadeloupe durant la Seconde Guerre mondiale.

Et alors ? Tous les hommes sont des Hommes-au-Bâton... »

Lisa aimait accompagner Nannine au bord de la rivière. C'était pour elle une joie toujours renouvelée.

Nannine préparait sa lessive depuis la veille. La large terrine en zinc était remplie de hardes sales. Elle y ajoutait une provision de savons de Marseille, de « bleu », une brosse à récurer, quelques feuilles odorantes, une gamelle de fruits-à-pain et de queues-à-cochon, une petite bouteille de rhum et après une prière ardente entrecoupée de violents soupirs elle allongeait son vieux corps près de celui de Lisa sur un semblant de lit adouci par une « cabanne ». Avant de partir dans le sommeil, Lisa, dans la demi-pénombre, respirait l'odeur de Nannine.

C'était une odeur curieuse et fascinante. Une odeur qui charroyait toute une histoire et toute une géographie. Les narines de Lisa pouvaient déceler ce qui restait de la traversée sauvage des navires négriers et tout ce que la terre avait entassé, génération après génération. L'odeur de la canne, l'odeur des feuillages, des halliers, des fruits. L'odeur du soleil et celle du vent marin. L'odeur des bois et celle des zombies. L'odeur de la vieillesse et celle de la vie.

Lisa les attrapait au passage comme un chasseur à l'affût tombe un ramier ou une tourterelle. Lisa les accueillait, les escortait jusqu'au plus profond de son imagination et peu à peu naissaient des paysages qui habitaient sa chair.

Les falaises de l'Anse-Bertrand, les mamelons de la Traversée, les champs de cannes du Lamentin s'emparaient d'elle. Elle découvrait d'étranges visions d'arbres qui donnaient des oiseaux en guise de fruits, de mangroves où les poissons se perdaient dans les feuillages, de racines qui broyaient les pierres. Il y avait tout cela dans l'odeur de Nannine.

Chaque nuit à ses côtés se transformait pour Lisa en un long voyage plein de haltes odorantes et d'histoires venues de tous les temps.

Sous la bienveillante protection de la Vierge Marie, très Sainte, elles s'endormaient jusqu'à la première rosée. Une odeur de café fort emplissait la case et après les ablutions elles s'en allaient lourdement chargées.

Le chemin était long et compliqué. D'autant plus long que Nannine s'arrêtait devant chaque case pour prendre toute fraîche la dernière nouvelle. C'étaient de véritables conversations codées entrecoupées d'éclats de rire ou de chuchotis complices. Lisa avait beau ouvrir ses oreilles, la parole demeurait opaque. Le message n'était pas dans les mots mais bien caché dans l'expression du visage, les mimiques, les intonations ou même les silences.

L'on avançait tout de même et l'on finissait, après avoir traversé quelques champs, grimpé quelques mornes, vaincu les épineux de quelques sentiers, par rejoindre la rivière.

Avec son murmure d'eau fraîche, ses effluves

de mombains, ses mouvements d'ombre, elle donnait vie à un univers apaisant et somptueux.

Nannine avait comme les autres son coin habituel, non loin des goyaviers sauvages, tout près d'un bassin. Elle s'y installait comme une reine prend possession de ses appartements.

Ce jour-là, la lessive avait commencé sans problème parmi les rires, les chants et les cris joyeux des enfants lorsque brusquement Lisa ressentit le coup de poignard d'une contraction. Ne voulant pas affoler Nannine elle supporta stoïquement les premières douleurs mais au fur et à mesure qu'elle lavait elles devinrent intolérables.

De grosses gouttes ruisselaient sur son visage et brusquement elle saisit son ventre à deux mains, laissant filer dans l'eau une serviette rouge qu'elle était en train d'essorer. Elle poussa un cri et Nannine, en vieille habituée de la vie, comprit tout de suite que Lisa n'allait pas tarder à accoucher. Elle héla : « Aye mon Dié mi ti moune la kay akouché la[1] ! » Les autres femmes entourèrent Lisa de mains secourables. On dépêcha un petit galopin pour aller quérir la matronne, Zélie, l'accoucheuse des Plaines. Nannine envoya chercher aux alentours les plantes nécessaires à sa médecine de campagne. On frotta Lisa avec du rhum camphré et pour l'aider on l'installa dans l'eau et ce fut

1. *Aye mon dié mi ti moune la kay akouché la !* : Aïe mon Dieu ! Voilà que la petite est sur le point d'accoucher là !

dans l'eau qu'elle se délivra avant l'arrivée de Zélie, donnant naissance à une petite fille au visage tellement rond qu'elle fut sur-le-champ baptisée Pomme.

Les femmes chantèrent pour souhaiter la bienvenue à Pomme dans la ronde de la vie. Chacune d'elles improvisait un couplet et toutes reprenaient le même refrain.

Yo di sé lom o baton
Yo di sé pa lom o baton
Tou sa nou sav sé ki pom rivé
Kon ti pwason

Kon manman dlo
An nou bay la vwa
Pou pom pé fè fanm ay
Ayayaye[1] !

Les enfants avec de petits rires canailles se disputaient pour savoir lequel d'entre eux avait pu voir l'événement malgré la vigilance répressive des mères.

Après avoir mangé, on mit Nannine, Pomme

1. On dit que c'est l'Homme-au-Bâton
On dit que ce n'est pas l'Homme-au-Bâton
Tout ce que nous savons c'est que Pomme est arrivée
Comme un poisson (dans l'eau).

Comme Maman-dlo
Chantons
Pour que Pomme devienne femme
Aïe ! Aie ! Aïe !

et Lisa dans la charrette de Pè Saurin et c'est en cahotant qu'elles retournèrent aux Plaines.

Nannine traça sur une feuille « Pomme é né » et elle expédia son message par le premier transport en commun qui passait.

Tandis que Lisa se remettait, la maternité de Pointe-à-Pitre vivait un événement historique. Dans une salle d'accouchement, sur une table de travail une métropolitaine poussait de toutes ses forces sur les injonctions d'un médecin assisté d'un vol d'infirmières.

Déjà, l'on apercevait une petite touffe de cheveux et le médecin encourageait la future mère. Poussez ! Poussez ! Une infirmière lui essuyait le front. Une autre surveillait le matériel de secours pour si en cas... La maternité fut secouée par un cri inhumain.

La tête était sortie. Une tête à vrai dire étrange comme celle d'un crapaud. Le médecin mit la main pour extraire le corps. C'est alors que les infirmières virent le monstre.

L'enfant avait les pieds palmés et, à peine le cordon ombilical coupé, il sauta des mains du médecin et se retourna sur ses quatre pattes dans la position d'un énorme crapaud.

Les infirmières s'enfuirent à toutes jambes, laissant le médecin désemparé et la mère évanouie. Puis la chambre fut envahie par une foule de curieux, malades, visiteurs, infirmiers, tandis que le crapaud, sans doute affolé, croassait de peur.

« C'est l'enfant de l'Homme-au-Bâton ! »

hurla quelqu'un et tout de suite la nouvelle fit le tour de la ville.

On ne sut jamais ce que devint cet enfant-crapaud mais toute la ville replongea dans les eaux troubles de la peur car c'était bien là la preuve que l'Homme-au-Bâton avait repris ses activités. Lorsque Nannine apprit la nouvelle, elle eut un sourire étrange. Elle regarda Pomme avec un immense bonheur dans les yeux puis elle lui murmura à l'oreille : « C'est moi qui ai détourné le sort, j'ai renvoyé tes infirmités sur une autre ! »

Nos cimetières n'ont jamais connu la paix. Chez nous les morts ne dorment pas. Ils se mêlent aux allées et venues des vivants, partagent leurs gesticulations, leurs amours, leurs frayeurs, leurs chagrins et leurs joies. Aussi y a-t-il grand commerce entre les vivants et les morts. De multiples négociations sortent des nuits noires et les morts inlassablement convoqués, invoqués, interpellés, dérangés savourent en silence un pouvoir qu'ils n'ont jamais eu au cours de leur misérable vie.

Pour qui n'est pas d'ici, nos cimetières ne sont que de petits villages qui s'écartent avec pudeur de l'agitation du bourg ou de la ville et souvent nos morts apprécient qu'on les enterre à flanc de morne, en hauteur. Ils peuvent, ainsi perchés, veiller sur leurs vivants, servir d'intermédiaires avec les forces obscures dont le souffle passe dans une brise faussement distraite.

Chaque mort a sa petite demeure. Peu

importe qu'il s'agisse d'un simple bourrelet de terre décoré par une rangée de conques roses ou d'un caveau de riche. Au royaume des morts seule compte la puissance magique.

Nos morts reçoivent leur courrier, attendent leurs rendez-vous et se réjouissent des offrandes qu'on leur dépose à la croisée des chemins. Lorsqu'ils sont trop à l'étroit dans leur tombeau, ils élisent domicile dans quelque maison et prennent plaisir à tourmenter ceux qui y vivent.

Ils ont mille espiègleries dans leurs os. Parfois un matelas s'enflamme sans cause ou une armoire se met à danser ou une pluie de pierres s'abat sur les tôles. Les vivants ne s'en émeuvent pas. Ils ont appris à interpréter le langage des morts. Ils ont avec eux par le canal du rêve de longues conversations et souvente fois, en plein jour, un homme ou une femme soliloque ou délire. N'allez pas croire qu'il est seul, il est en bonne compagnie de nos invisibles.

Et puis, de temps à autre, lassés d'être sans forme, désireux de goûter à nouveau aux plaisirs de la chair, ils se réincarnent. Ils choisissent un ventre de femme qu'ils arrondissent neuf mois durant avant de passer une tête étonnée par la fenêtre de la vie. Ils refont le parcours, descendent à nouveau le fleuve du temps, éblouissant au passage leurs contemporains de leurs éclats de vie.

Nannine avait appelé sa grand-mère pour

délivrer Pomme de ses infirmités d'enfant-crapaud et Pomme était le portrait craché de la grand-mère de Nannine, celle qui chassait les poules dans la maison du maître aux temps anciens de l'esclavage. Nannine seule savait que Pomme avait une âme déjà rodée aux chemins de la vie. Aussi elle prenait un double plaisir à la réinitier aux délices d'une bonne platée de dictame et à roucouler à ses oreilles les mêmes chants qu'elle avait appris autrefois. « La vie te manquait, lui murmurait-elle, alors tu es venue nous rejoindre, mais hélas ! je dois bientôt partir de l'autre côté du temps à ta place... »

Le temps des paquebots courait vers sa fin. Un autre temps, plus pressé, moins soucieux de l'homme venait vers nous à grande vitesse.

Les voitures roulaient plus vite, des Simca P. 60, des Chambord bicolores, des Studebaker et, la dernière-née, la 404 Peugeot, sans compter la D.S. noire du directeur où s'engouffrait avec fierté Mme Carbet depuis la mort de son mari. Il y avait maintenant un escalier roulant au Prisunic de Pointe-à-Pitre et l'on construisait à grand balan les immeubles de la cité Malraux. D'ailleurs, depuis quelque temps, Pointe-à-Pitre déménageait pour accélérer les travaux d'assainissement. Tous les jours on pouvait croiser une case bien en équilibre sur un camion, prenant la direction de Lauricisque. Il fallait faire place aux tours, aux immeubles des H.L.M. et à de nouveaux bâtiments administratifs. Des familles émerveillées découvraient les joies de l'eau courante, le confort d'un W.-C. et le vertige de l'ascenseur. Mais elles ne renonçaient pas pour autant à leurs habitudes. Elles élevaient un bœuf ou un cochon sur le balcon, vendaient les bidets pour arrondir les fins de mois et pissaient sans vergogne dans les ascenseurs. Un sociologue parla même de bidonville vertical mais son propos fut noyé dans un tollé de protestations.

De plus en plus les gens prenaient l'avion pour aller en France. D'ailleurs l'aéroport était devenu un haut lieu d'attraction. L'on s'y rendait en bande pour aller admirer le ballet des avions et siroter un Coca-Cola. Ceux qui partaient semblaient déjà raidis par le froid de l'hiver. Ils promenaient dans le hall l'expression extatique de croyants touchés par la grâce. Ceux qui arrivaient semblaient venir d'une autre planète. Tout avait changé en eux, leur coiffure, leur parler et jusqu'à leur démarche maintenant plus mécanique et plus raide. Parfois Lisa taquinait Nannine en lui disant : « Et si nous aussi nous partions ? » Et Nannine répondait invariablement : « Bon Dié pa ban mwen zel ! An bien isi[1] ! » Pour elle ce n'était qu'un engin démoniaque qui annonçait que la fin des temps était proche.

Les avions déversaient une race nouvelle : les touristes ! En particulier les Canadiennes qui allaient brunir, toutes nues, sur les plages de Deshaies, de Sainte-Anne et de Saint-François.

1. *Bon Dié pa ban mwen zel! An bien isi!* : Dieu ne m'a pas donné des ailes ! Je suis bien ici.

Au début nous les regardions comme des bêtes curieuses, impudiques et sans vergogne. Elles devenaient folles sous notre soleil et se livraient à toutes sortes d'excentricités.

Par exemple, elles allaient à la banque vêtues d'un morceau de short ou bien elles entraient à l'église sans se couvrir la tête. Elles s'extasiaient devant un tas de bêtises, un pilon, un four à charbon, une berceuse. Alors nous vendions, trop heureux de trouver quelqu'un pour nous débarrasser de toutes ces vieilleries. Elles achetaient et nous riions de leurs macaqueries. Les hôtels organisaient pour elles des soirées de rimé-reins et c'est ainsi que nous sûmes qu'elles étaient accessibles.

N'importe quel rien du tout avait sa chance. Elles avaient des goûts contraires aux nôtres. Plus l'homme était noir, plus il était grosso modo, plus elles l'appréciaient et beaucoup de petits nègres dédaignés nous narguaient maintenant avec « leur » Canadienne. Mais ce qu'il y avait d'étrange c'est qu'elles payaient pour faire visiter leur grotte d'amour !

Alors on vit beaucoup de vaillants nègres délaisser leurs jobs pour se consacrer à la chasse aux Canas. Ils buvaient toute sorte de couillonnade de bois-bandé pour assurer ce qu'ils appelaient le revenu minimum sexuel.

Il fallait les voir, à l'approche de la « saison touristique » ! Excités comme des mouches sur un tas d'ordures, se musclant le corps pour ressembler à Serge Nubret dans *Les Titans*, se lustrant la peau comme des demoiselles avec des clins d'œil coquins et s'entraînant pour faire voler les Canadiennes au rythme de leurs hanches.

Ils se donnaient rendez-vous et, vêtus d'un maillot de bain, ils nourrissaient en microsillons un vieux Teppaz pour répéter les pas qui se mariaient le mieux aux envolées musicales des orchestres. Mais l'intérêt était de ne pas sacrifier à la routine. Il fallait plutôt explorer les trouvailles, réinventer la danse et faire du corps l'instrument docile de l'improvisation.

Une double pirouette par-ci, un pas chassé par-là, un saut pour donner du piment et quelques pas glissés-croisés combinés à la rotation des hanches permettaient de créer des figures inédites.

Le but était toujours le même : faire en sorte que la danse exprimât, au plus juste, toutes les variations de la musique. Et les épaules tremblaient sur un roulement de congas, les bras épousaient les secousses d'une guitare et tout le corps devenait une seule cadence ouverte à de multiples possibilités.

Chacun avait sa spécialité et tel qui brillait en salsa pouvait être nul en boléro, mais quelle revanche aussi lorsque saisis d'admiration devant les prouesses ailées d'un « crâneur » les couples s'arrêtaient de danser pour déguster avec émerveillement le nectar sublime de la grâce !

La sueur ruisselait, bonne, chaude, bonne

semence de la musique gonflée de tous les désirs et favorable à toutes les convoitises.

Ça c'était pour les exhibitionnistes toujours soucieux d'épater le parterre des dames.

Il y en avait d'autres, plus sournois, plus efficaces, qui pratiquaient le noble et suggestif art de la noix.

Personne n'a jamais su d'où venait cette expression « faire des noix », cependant tout le monde savait la traduire au plus haut des possibles de la volupté.

C'était un art qui ne supposait aucun entraînement, au contraire ! Il s'épanouissait dans un onctueux laisser-aller, dans un joyeux frotti-frotta et un enfiévré massage de lune d'amour. Les bons faiseurs de noix devaient être de redoutables psychologues car, en vérité, la noix ne s'impose pas mais elle s'amène doucement avec d'infinies précautions, sans effaroucher la chère, sans paraître grossier au regard parfois vigilant et proche d'un quelconque parent de la gamine.

Il y a bien sûr des noix de bordées, véritable catch érotique, délices de manawas en chasse et en chaleur, brutales estocades de débutants trop engorgés ou d'ivrognes sans finesse aucune. Elles ne peuvent en aucun cas intéresser le chroniqueur. Ce sont des noix qui ont leur place dans les bacchanales du carnaval lorsqu'une biguine-vidé déchire toutes les respectabilités.

En la matière, il faut mesurer toute la distance qui sépare un vorace agoulou-grand-fale de chairs féminines et le gourmet précieux, bâtisseur d'une véritable cathédrale de volupté dont la flèche gothique culmine dans une imprévue jouissance.

Il y a d'abord l'approche exploratrice. Elle sert à tâter le terrain. Le cavalier d'un air faussement nonchalant effleure de sa poitrine les seins de sa dame. Il renouvelle avec tact sa manœuvre comme par hasard tout en observant les réactions. Une gêne ? Un durcissement des seins ? Un début d'abandon ? Si la belle ne s'effarouche point, il profite d'une pirouette pour réajuster son étreinte de manière que les corps puissent s'emboîter l'un dans l'autre et progressivement, insidieusement il accentue la pression pour lever la chaleur des sens.

C'est le moment le plus délicat. Celui où elle peut se rebeller et déplacer l'axe de son corps tout en se raidissant pour détruire toute l'harmonie de l'édifice. Elle peut aussi, tout en feignant d'ignorer la stratégie du cavalier, jouer le jeu sans pour autant participer activement. Alors le danseur se rapproche au plus près, il arrondit le dos pour envelopper et colle son bassin. Phase intime, déjà pleine d'émoi où les corps baignent dans la douceur des hanches et où les sens commencent à déparler. Les mains se resserrent. La belle est dans l'étau et elle commence à masser son partenaire. Enfin tout s'accélère, la respiration, la rotation du basventre, le couple accordé au diapason plonge dans l'ivresse de la noix. Tout est sensuel,